글 읽기 능력 향상을 위한

초등국어
독해왕

1
단계

이룸이앤비
Education & Books

모든 공부를 잘하기 위한 첫걸음
국어 독해 (글 읽기)

왜? 초등학생에게 국어 독해(글 읽기)가 중요할까요?

우리에게 전달되는 정보는 국어(문자)로 이루어져 있고 그 정보를 이해하고 습득하는 능력은 독해 능력과 깊이 연관되어 있습니다. 초·중·고교생, 더 나아가 어른이 되어서도 학습 능력의 기본은 독해 능력이라고 해도 무방할 정도입니다. 따라서 독해 능력이 뛰어난 학생은 많은 양의 학습 정보를 다른 학생보다 훨씬 쉽고 빠르게 습득할 수 있습니다.

글 읽기 능력은 **국어뿐** 아니라, **사회·과학·수학·영어 등 다른 과목의 학습 능력에도 지대한 영향을 끼친다고 합니다.** 많은 전문가들은 어릴 때 자연스럽게 형성된 독서 습관이 모든 학습의 첫걸음이라고 말합니다.

초등학생 때 글을 읽고 이해하고 문제를 해결하는 능력, 즉 국어 독해 능력은 모든 공부의 큰 힘이며 **평생을 좌우할 학습 능력의 첫걸음이자 디딤돌입**니다.

"초등국어 독해왕" 시리즈는
학부모님들의 의견을 충분히 반영하였습니다

의견 1 ➔ 다양한 글을 읽히고 싶어요. 설명문, 논설문, 전기문, 동화, 동시, 생활문, 기행문 등 다양한 종류의 글과 인문, 사회, 과학, 예술 등 다양한 분야의 글이 모여 있는 책이 있었으면 좋겠어요.

의견 2 ➔ 평소 책을 좋아하지 않는 아이도 쉽고 재미있게 글 읽기 훈련을 할 수 있는 책이 있었으면 좋겠어요.

의견 3 ➔ 글 읽기를 20~30분 정도 짧게 집중해서 하고 글을 잘 이해했는지를 점검할 수 있는 문제집이 있었으면 좋겠어요.

의견 4 ➔ 글 읽기에서 어떤 부분이 부족한지, 또 어떤 종류의 글 읽기를 좋아하고 싫어하는지를 판단할 수 있었으면 좋겠어요.

의견 5 ➔ 글의 주제나 요지 파악, 제목 찾기 등을 쉬운 수준부터 차근차근 단계별로 훈련할 수 있는 책이 필요해요.

의견 6 ➔ 아이 혼자 스스로 조금씩 꾸준하게 공부할 수 있도록 학습 계획 (스케줄)을 쉽게 짤 수 있는 교재가 있었으면 좋겠어요.

의견 7 ➔ 학부모가 아이를 지도하기 쉽게 해설이 자세한 독해 연습서가 있었으면 좋겠어요.

구성과 특징

❶ 일차별·단계별 구성

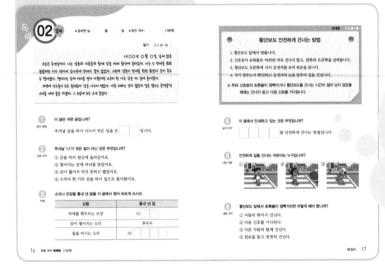

하루의 학습량을
초등학생이 집중력을
유지할 수 있는 약 20~30분
분량, 2~3개 지문으로
구성하였습니다.

❷ 다양한 종류의 글

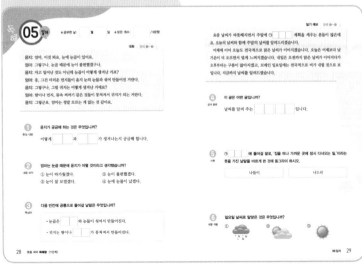

재미와 흥미를 유발할 수
있는 문학(동시, 동화, 기행문,
전기문 등)과 비문학(설명문, 논설문,
안내문, 소개문, 실용문 등) 등
다양한 종류의 글로 구성
하였습니다.

❸ 다양한 문제

글의 중심 내용, 핵심어, 주제,
목적 등을 정확하게 이해하는지를 묻는
사실적 이해 문항과 이를 바탕으로
다른 상황에 적용, 추론할 수 있는지를
묻는 다양한 문제로 구성하여
효율적인 독해 훈련이
가능하도록 하였습니다.

❹ 어휘력 체크체크

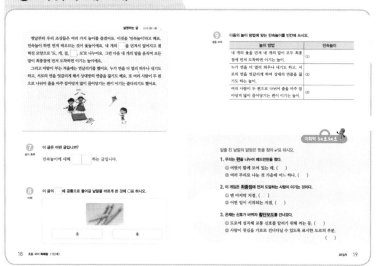

매일매일 공부한 글에
나온 중요한 낱말들의 뜻을
확인하고 문제를 통해
기억할 수 있도록
하였습니다.

❺ 어휘 학습 및 테스트

5일 동안 공부한 지문 중에서
주요 어휘들을 골라 다시 써 보고
간단한 문제로 반복 학습을 할 수
있도록 하였습니다. 어휘력은
국어 능력의 주요 지표 중
하나입니다.

❻ 정답 및 해설

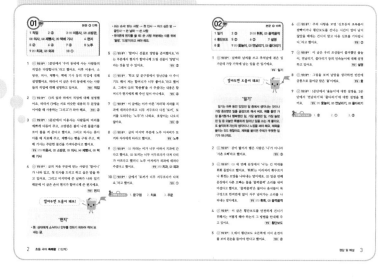

모든 문제는 해설을 통해
자세하고 친절하게 설명하였습니다.
스스로 공부하는 **학생**에게는
자기 주도 학습의 길잡이가 되고
학부모님과 선생님께는
학습 지도 자료로 활용될 수
있도록 하였습니다.

차례 및 학습 계획

하루의 학습량을 초등학생이 집중력을 유지할 수 있는
약 20~30분 분량, 3개 지문으로 구성하였습니다.

공부한 날

■ 정답 및 해설
　(자기 주도 학습 또는 학습 지도를 위한 별책)

학부모 및 선생님을 위한
초등국어 독해왕의 공부 지도법

"자기 주도 학습을 실천하도록 돕는 것이 중요합니다!!!"

이 책의 공부 지도법

01 조금씩 꾸준히 공부하도록 합니다.
생각날 때마다 공부하는 것은 좋지 않습니다. 매일매일 하지는 않더라도 월수금, 화목 등등처럼 규칙적인 계획을 세워서 공부하도록 지도합니다.

02 20~30분 집중하여 학습하도록 합니다.
한 번에 2~3지문을 20~30분 동안 지도합니다. 초등학생에게 조금 긴 시간일 수도 있지만 집중해서 공부하도록 하는 것이 중요합니다.

03 글의 핵심을 잘 이해했는지 점검합니다.
글을 읽고 어떤 내용인지 말해 보게 합니다. 잘 모르는 경우에는 다시 읽어 보게 합니다. 그래도 이해가 되지 않는다면 나중에 반복 학습을 할 수 있도록 지도합니다.

04 맞은 문제와 틀린 문제를 표시하도록 합니다.
맞은 문제 중에는 대충 찍어서 맞힌 문제도 있습니다. 실제로 정확하게 이해한 문제를 제외하고 다시 한번 글을 읽고 풀어 보도록 합니다.

05 어떤 유형의 문제를 자주 틀리는지 확인하도록 합니다.
독해 문제에는 여러 유형들이 있습니다. 주제 찾기, 내용 파악, 적용하기 등에서 학생이 자주 틀리는 문제 유형이 무엇인지를 파악하여 가장 적절한 해결 방법을 안내하도록 합니다.

01~05 일차

설명하는 글   문제 ❶~❸

우리 동네에 사는 사람들의 직업은 다양합니다. 사람들의 머리를 예쁘게 다듬어 주시는 미용사, 불이 나면 기다란 호스로 물줄기를 쏘아 불을 꺼 주시는 소방관이 있습니다. ㉠☐☐☐ 몸이 아플 때 우리를 치료해 주시는 의사, 맛있는 빵을 구워 주시는 제빵사가 있습니다. 또 집 앞까지 주문한 물건을 가져다주시는 택배 기사도 있습니다. 이러한 직업을 가진 분들 덕분에 우리는 편리하고 안전하며 건강하게 생활할 수 있습니다.

1
중심 내용

이 글에서 설명하는 것은 무엇입니까?

우리 동네에 사는 사람들의 ☐☐.

2
접속어

㉠☐☐☐에 들어갈 알맞은 낱말은 무엇입니까?

① 그러나   ② 그리고   ③ 그런데   ④ 그래서

3
내용 파악

이 글을 읽고 하는 일과 직업을 바르게 연결하시오.

(1) 예쁘게 머리를 다듬어 줌.   •   • 소방관

(2) 불이 나면 불을 꺼 줌.   •   • 제빵사

(3) 아플 때 우리를 치료해 줌.   •   • 미용사

(4) 맛있는 빵을 구워 줌.   •   • 택배 기사

(5) 주문한 물건을 가져다 줌.   •   • 의사

할머니께

할머니, 안녕하세요. 저는 현지예요.

할머니께서 아침마다 저를 깨워 아침밥도 차려 주시고, 학교가 끝날 때에는 저를 데리러 와 주셔서 고맙습니다. 또 가끔은 저를 데리고 학교 앞 문구점에서 장난감을 사 주시기도 해서 저는 할머니가 너무 좋아요. 그래서 할머니 선물로 양말을 준비했어요. 이 양말 꼭 신고 다니셔야 해요. 할머니, 사랑해요. 안녕히 계세요.

2000년 0월 0일

손녀 현지 올림

4

글의 종류

이 글은 어떤 글입니까?

손녀 현지가 할머니께 쓴 ☐☐입니다.

5

내용 적용

현지가 할머니께 드릴 선물은 무엇입니까?

① 　② 　③ 　④

6

내용 파악

할머니가 현지에게 해 주신 일이 <u>아닌</u> 것은 무엇입니까?

① 아침마다 깨워 주셨어요.

② 아침밥을 차려 주셨어요.

③ 학교가 끝날 때 데리러 와 주셨어요.

④ 학교 앞 문구점에서 학용품을 사 주셨어요.

자라가 이가 아파서 치과에 가요. 느리게 기어가다가 토끼와 마주쳐요.

"자라야, 어디 가니?"

"㉠이가 너무 아파서 치과에 가요."

"내가 치과에 데려다줄게."

토끼가 너무 서두르다가 다쳐요.

"아야, 아야, 다리가 너무 아파!"

토끼가 아파해요.

그때, 노루가 뛰어와서 도와줘요.

"토끼야, 왜 우니?"

"㉡다리가 너무 아파요."

"다리가 아프다고? 내가 외과에 데려다주마. 토끼야, 어서 타거라. 자라야, 너도 타려무나."

"고마워요, 노루 아저씨."

－ 이가 아파서 치과에 가요 _ 한규호

---

7 이 글에 나오는 동물이 <u>아닌</u> 것은 무엇입니까?

내용 적용

① 　②  　③ 　④

---

8 자라와 토끼를 태워 준 동물은 무엇입니까?

내용 파악

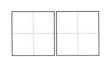

9 ㉠과 ㉡처럼 아플 때는 무슨 병원으로 가야 합니까?

내용 파악

(1) ㉠: ⬚⬚　　　(2) ㉡: ⬚⬚

10 토끼가 다리를 다친 이유는 무엇입니까?

내용 파악

① 너무 서두르다가 다쳤어요.

② 걸어가다가 자라와 부딪혔어요.

③ 노루 아저씨 등에 타다가 떨어졌어요.

④ 앞을 안 보고 가다가 나뭇가지에 걸렸어요.

어휘력 체크체크

다음 뜻을 가진 낱말에 ○표 하시오.

1. 학용품이나 사무용품 따위를 파는 가게.

| 문구점 | 미용실 |

2. 병이나 상처를 잘 다스려 낫게 함.

| 건강 | 치료 |

3. 어떤 상품의 생산, 수송 또는 서비스의 제공을 신청하는 일.

| 주문 | 배달 |

일기 문제 ❶~❸

> 2○○○년 ○월 ○일, 날씨 맑음
>
> 오늘은 추석날이다. 나는 삼촌과 사촌들과 함께 감을 따러 뒷산에 올라갔다. 나는 긴 막대를 휘휘 돌렸지만 키가 작아서 감나무에 막대가 닿지 않았다. 그런데 삼촌이 막대를 한번 휘젓자 감이 후두두 떨어졌다. 떨어지는 감에 머리를 맞아 아팠지만 소쿠리 한 가득 감을 따 집에 돌아왔다.
>
> 저녁에 식구들이 모두 둘러앉아 감을 나누어 먹었다. 사촌 오빠는 감이 떫은지 얼른 뱉고는 꿀꺽꿀꺽 소리를 내며 물을 마셨다. 그 모습에 모두 크게 웃었다.

1 이 글은 어떤 글입니까?

글의 종류

추석날 감을 따서 나누어 먹은 일을 쓴 ☐☐ 입니다.

2 추석날 '나'가 겪은 일이 <u>아닌</u> 것은 무엇입니까?

내용 파악

① 감을 따러 뒷산에 올라갔어요.

② 떨어지는 감에 머리를 맞았어요.

③ 감이 떫어서 먹지 못하고 뱉었어요.

④ 소쿠리 한 가득 감을 따서 집으로 돌아왔어요.

3 소리나 모양을 흉내 낸 말을 이 글에서 찾아 바르게 쓰시오.

어휘

상황	흉내 낸 말
막대를 휘두르는 모양	(1) ☐☐
감이 떨어지는 소리	후두두
물을 마시는 소리	(2) ☐☐☐☐

횡단보도를 안전하게 건너는 방법

1. 횡단보도 앞에서 멈춥니다.

2. 신호등이 초록불로 바뀌면 바로 건너지 말고, 왼쪽과 오른쪽을 살펴봅니다.

3. 횡단보도 오른쪽에 서서 운전자를 보며 왼손을 듭니다.

4. 차가 멈추는지 확인하고 운전자와 눈을 맞추며 길을 건넙니다.

♣ 주의: 신호등의 초록불이 깜빡이거나 횡단보도를 건너는 시간이 얼마 남지 않았을 때에는 건너지 말고 다음 신호를 기다립니다.

❹ 이 글에서 안내하고 있는 것은 무엇입니까?

글의 목적

를 안전하게 건너는 방법입니다.

❺ 안전하게 길을 건너는 어린이는 누구입니까?

내용 적용

 ①    ②    ③

❻ 횡단보도 앞에서 초록불이 깜빡거리면 어떻게 해야 합니까?

내용 파악

① 서둘러 뛰어서 건넌다.

② 다음 신호를 기다린다.

③ 다른 사람과 함께 건넌다.

④ 왼손을 들고 천천히 건넌다.

옛날부터 우리 조상들은 여러 가지 놀이를 즐겼어요. 이것을 '민속놀이'라고 해요. 민속놀이 하면 먼저 떠오르는 것이 윷놀이에요. 네 개의 ▢을 던져서 엎어지고 젖혀진 모양으로 '도, 개, 걸, ▢, 모'로 나누어요. 그런 다음 네 개의 말을 움직여 모든 말이 최종점에 먼저 도착하면 이기는 놀이에요.

그리고 바람이 부는 겨울에는 연날리기를 했어요. 누가 연을 더 멀리 띄우나 내기도 하고, 서로의 연을 엇갈리게 해서 상대방의 연줄을 끊기도 해요. 또 여러 사람이 두 편으로 나뉘어 줄을 마주 잡아당겨 많이 끌어당기는 편이 이기는 줄다리기도 했어요.

⑦ 이 글은 어떤 글입니까?

글의 종류

민속놀이에 대해 ▢▢ 하는 글입니다.

⑧ 이 글의 ▢에 공통으로 들어갈 낱말을 바르게 쓴 것에 ○표 하시오.

어휘

| 웃 | 윷 |

9 다음의 놀이 방법에 맞는 민속놀이를 빈칸에 쓰시오.

내용 파악

놀이 방법	민속놀이
네 개의 윷을 던져 네 개의 말이 모두 최종점에 먼저 도착하면 이기는 놀이.	(1)
누가 연을 더 멀리 띄우나 내기도 하고, 서로의 연을 엇갈리게 하여 상대의 연줄을 끊기도 하는 놀이.	(2)
여러 사람이 두 편으로 나뉘어 줄을 마주 잡아당겨 많이 끌어당기는 편이 이기는 놀이.	(3)

밑줄 친 낱말의 알맞은 뜻을 찾아 ✔표 하시오.

1. 우리는 편을 나누어 배드민턴을 쳤다.

① 여럿이 함께 모여 있는 떼. (　　)

② 여러 무리로 나눈 것 가운데 어느 하나. (　　)

2. 이 게임은 최종점에 먼저 도달하는 사람이 이기는 것이다.

① 맨 마지막 지점. (　　)

② 어떤 일이 시작되는 지점. (　　)

3. 은채는 신호가 바뀌자 횡단보도를 건너갔다.

① 도로에 설치해 교통 신호를 알리기 위해 켜는 등. (　　)

② 사람이 찻길을 가로로 건너다닐 수 있도록 표시한 도로의 부분.

(　　)

편지글   문제 ❶～❸

민찬이에게

민찬아, 수목원으로 간 체험 학습은 잘 다녀왔니?

선생님께서 과자는 통에 담아 오라고 하셔서 엄마가 도시락통에 담아 줬는데, 맛있게 먹었니? 가방에 넣어 준 손수건과 물통도 잘 챙겨서 가지고 왔지?

손과 발 깨끗이 씻고 냉장고에 넣어 둔 수박 꺼내 먹으렴. 수박 껍질은 꼭 음식물 쓰레기통에 잘 버려 줘. 그런 후에는 가방에 넣어 갔던 물건들을 모두 꺼내 놓으렴. 엄마는 3시에 집으로 올 거야. 그때 만나자.

ㄴ○○○년 ○월 ○일
사랑하는 엄마가

1

중심 내용

민찬이는 체험 학습으로 어디에 다녀왔습니까?

☐☐☐

2

내용 적용

민찬이의 가방에 들어 있지 <u>않은</u> 물건은 무엇입니까?

①   ②   ③

3

일의 순서

엄마의 편지를 읽은 민찬이가 해야 할 일의 순서를 번호로 쓰시오.

일의 순서	해야 할 일
	냉장고에 있는 수박 꺼내 먹기
	손과 발 씻기
	가방에 넣어 갔던 물건 꺼내 놓기
	수박 껍질을 음식물 쓰레기통에 버리기

엄마가 섬 그늘에 굴 따러 가면

아기가 혼자 남아 집을 보다가

바다가 불러 주는 자장노래에

팔 베고 스르르르 잠이 듭니다.

아기는 잠을 곤히 자고 있지만

갈매기 울음소리 맘이 설레어

다 못 찬 굴 바구니 머리에 이고

엄마는 모랫길을 달려옵니다.

– 섬집 아기 _ 한인현

❹ 이 시는 몇 연으로 나누어져 있습니까?

시의 형식

☐ 연

❺ 아기가 잠이 드는 것은 무엇 때문입니까?

내용 파악

① 바다가 불러 주는 자장노래 때문에

② 날아다니는 갈매기 울음소리 때문에

③ 엄마가 들려주는 옛날이야기 때문에

④ 섬 그늘에서 엄마가 굴 따는 소리 때문에

❻ 아기가 살고 있는 곳은 어디입니까?

내용 적용

① 　　② 　　③

우리가 버린 쓰레기는 지구를 오염시킵니다. 그래서 종이나 플라스틱, 금속캔 등 재활용을 할 수 있는 것들은 분리해서 내놓아야 합니다. ㉠□□□ 아직도 많은 친구들이 쓰레기를 제대로 분리하지 않고 있습니다.

신문지는 반듯하게 펴서 차곡차곡 쌓고, 우유팩은 물로 헹군 다음 펴서 햇볕에 말려 내놓아야 합니다. 이때 신문지와 우유팩은 구분해서 내놓아야 합니다. 그리고 페트병과 플라스틱 통에 든 내용물은 깨끗이 비우고, 상품 이름이 적힌 비닐은 제거해야 합니다. 금속캔도 물로 헹구고 찌그러뜨려 내놓는 것이 좋습니다.

우리가 쓰레기를 만들지 않을 수는 없습니다. 그렇지만 쓰레기를 잘 분리해서 내놓는다면 재활용을 하여 쓰레기의 양을 줄일 수 있습니다. 우리 모두 쓰레기를 분리해서 내놓는 방법을 제대로 알고 실천해야 합니다.

7 글의 주제

글쓴이가 주장하는 내용은 무엇입니까?

쓰레기를 □□ 해서 내놓아야 합니다.

8 접속어

㉠에 들어갈 알맞은 말은 무엇입니까?

① 그리고
② 따라서
③ 그러나
④ 그래서

9

내용 적용

쓰레기의 종류에 따른 분리 배출 방법을 알맞게 연결하시오.

(1)

•

• ㉠ 물로 헹군 다음 펴서 햇볕에 말려 신문지와 구분해서 내놓아요.

(2)

•

• ㉡ 내용물은 깨끗이 비우고, 상품 이름이 적힌 비닐은 제거해 내놓아요.

(3)

•

• ㉢ 물로 헹구고 찌그러뜨려 내놓아요.

어휘력 체크체크

다음 뜻을 가진 낱말에 ○표 하시오.

1. 관찰이나 연구의 목적으로 여러 가지 나무를 수집하여 재배하는 시설.

과수원	수목원

2. 서로 나뉘어 떨어지거나 떨어지게 함.

분리	수리

3. 어떤 사물이나 현상 따위를 없어지게 함.

수거	제거

일기   문제 ❶∼❸

2○○○년 ○월 ○일, 날씨 흐림

엄마와 엘리베이터를 탔는데 13층에 사시는 아저씨가 이미 엘리베이터에 타고 계셨다. 나는 자주 보는 아저씨께 "☐☐☐☐☐☐☐☐?" 하고 큰 소리로 인사를 했다. 아저씨는 활짝 웃으시며, "그래, 안녕? 항상 인사를 참 잘하는구나!" 하고 칭찬을 해 주셨다. 왠지 어깨가 으쓱하고 내 스스로가 자랑스러웠다.

인사는 행복 바이러스인 것 같다. 왜냐하면 인사를 하는 사람과 받는 사람 모두 기분이 좋아지기 때문이다. 앞으로도 인사를 더 잘 해야겠다.

1

중심 내용

'나'가 '아저씨'께 칭찬을 받은 이유는 무엇입니까?

아저씨에게 ☐☐ 를 잘했기 때문입니다.

2

추론

☐ 안에 들어갈 알맞은 말은 무엇입니까?

" ☐☐☐☐☐☐☐☐ ?"

3

내용 이해

인사가 '행복 바이러스'인 것 같다고 한 이유는 무엇입니까?

① 인사를 잘하면 학교에서 상을 받기 때문이에요.

② 인사를 받아 기분이 좋으면 간식을 주기 때문이에요.

③ 인사를 해서 칭찬을 받으면 엄마에게 선물을 받기 때문이에요.

④ 인사를 하는 사람과 받는 사람 모두 기분이 좋아지기 때문이에요.

지진이 일어나면 어떻게 행동해야 할까요?

- 튼튼한 탁자 아래로 들어가 탁자 다리를 꼭 잡고 몸을 보호해요.
- 탁자와 같은 피할 곳이 없을 때에는 푹신한 물건으로 머리를 보호해요.
- 엘리베이터를 타지 말고, 계단을 이용하여 건물 밖으로 나가요.
- 건물과 담장에서 멀리 떨어져 가방이나 손으로 머리를 보호하면서 대피해요.

❹ 이 글은 어떤 글입니까?

글의 종류

지진이 일어나면 어떻게 행동해야 하는지 ☐☐ 하는 글입니다.

❺ 탁자와 같은 피할 곳이 없을 때, 머리를 보호할 수 있는 물건은 무엇입니까?

내용 적용

① 　　② 　　③

❻ 지진이 발생하면 어떻게 행동해야 하는지 빈칸에 알맞은 말을 쓰시오.

중심 내용

(1) 튼튼한 ☐☐ 아래로 들어가 몸을 보호합니다.

(2) 엘리베이터를 타지 말고 ☐☐ 을 이용하여 대피합니다.

개똥벌레라고도 알려져 있는 반딧불이는 꽁무니에서 반짝반짝 빛을 내기 때문에 붙여진 이름이지요. 반딧불이는 낮에는 나뭇잎 뒤나 풀에 앉아 쉬고, 밤이 되면 반짝반짝 빛을 내며 날아다녀요. 그래서 우리의 조상들은 반딧불이를 잡아 어두운 밤에 책을 읽었다고도 해요. 그리고 반딧불이의 암수는 이 빛으로 서로를 알리고 알아낼 수도 있대요. 지금은 도시의 불빛이 너무 밝아서 반딧불이가 서로를 알아볼 수가 없대요. 그래서 반딧불이가 불빛이 없는 산골로 찾아들어 가 살고 있대요.

❼ 이 글은 무엇에 대해 설명하고 있습니까?

핵심어

☐ ☐ ☐ ☐

❽ 반딧불이는 암수가 서로를 어떻게 알아봅니까?

내용 파악

① 서로가 내는 냄새를 맡고

② 서로가 내는 울음소리를 듣고

③ 서로가 날아다니며 추는 춤을 보고

④ 서로가 반짝거리며 내는 빛을 보고

❾ 이 글에서 '작은 빛이 잠깐 잇달아 나타났다가 사라지는 모양.'이라는 뜻을 가진 낱말은 무엇입니까?

어휘

☐ ☐ ☐ ☐

⑩ 반딧불이에 대한 설명으로 잘못된 것은 무엇입니까?

추론

① 도시의 밝은 불빛을 좋아한다.

② 불빛이 없는 산골을 좋아한다.

③ 밤에는 빛을 내며 날아다닌다.

④ 낮에는 나뭇잎 뒤에 앉아 쉰다.

어휘력 체크체크

다음 뜻을 보고 어떤 낱말인지 [보기]에서 찾아 쓰시오.

┤ 보기 ├

지진　　담장　　바이러스

1. 뜻: 세균보다 훨씬 작은 전염성 병원체인 미생물.

예 감기 ⬜⬜⬜⬜ 가 퍼지는 것을 막아야 한다.

2. 뜻: 땅속에서의 화산 활동 등으로 일정한 기간 동안 땅이 갑자기 흔들리며 움직이는 것.

예 일본에서는 ⬜⬜ 때문에 사람들이 다쳤다.

3. 뜻: 집의 둘레나 일정한 공간을 막기 위해 흙, 돌 따위로 쌓아 올린 것.

예 큰비가 내려서 우리집 ⬜⬜ 이 무너졌다.

대화　문제 ①～③

윤지: 엄마, 이것 봐요. 눈에 눈곱이 있어요.

엄마: 그렇구나. 눈곱 때문에 눈이 불편했겠구나.

윤지: 자고 일어난 것도 아닌데 눈곱이 어떻게 생겨난 거죠?

엄마: 응, 그건 더러운 먼지들이 윤지 눈의 눈물과 섞여 만들어진 거란다.

윤지: 그렇구나. 그럼 귀지는 어떻게 생겨난 거예요?

엄마: 땀이나 먼지, 몸속 찌꺼기 같은 것들이 뭉쳐져서 귀지가 되는 거란다.

윤지: 그렇군요. 엄마는 정말 모르는 게 없는 것 같아요.

1

중심 내용

윤지가 궁금해 하는 것은 무엇입니까?

어떻게 ☐☐ 과 ☐☐ 가 생겨나는지 궁금해 합니다.

2

내용 파악

엄마는 눈곱 때문에 윤지가 어떨 것이라고 생각했습니까?

① 눈이 따가웠겠다.　　② 눈이 불편했겠다.

③ 눈이 잘 보였겠다.　　④ 눈에 눈물이 났겠다.

3

핵심어

다음 빈칸에 공통으로 들어갈 낱말은 무엇입니까?

• 눈곱은 ☐☐ 와 눈물이 섞여서 만들어진다.

• 귀지는 땀이나 ☐☐ 가 뭉쳐져서 만들어진다.

요즘 날씨가 따뜻해지면서 주말에 ㉠⬜⬜⬜ 계획을 세우는 분들이 많은데요. 오늘의 날씨와 함께 주말의 날씨를 알려드리겠습니다.

어제에 이어 오늘도 전국적으로 맑은 날씨가 이어지겠습니다. 오늘은 어제보다 낮 기온이 더 오르면서 덥게 느껴지겠습니다. 내일은 오전까지 맑은 날씨가 이어지다가 오후부터는 구름이 많아지겠고, 모레인 일요일에는 전국적으로 비가 내릴 것으로 보입니다. 지금까지 날씨를 알려드렸습니다.

❹ **이 글은 어떤 글입니까?**

글의 종류

날씨를 알려 주는 ⬜⬜⬜⬜ 입니다.

❺ ㉠에 들어갈 말로, '집을 떠나 가까운 곳에 잠시 다녀오는 일.'이라는 뜻을 가진 낱

어휘   말을 바르게 쓴 것에 ○표 하시오.

| 나들이 | 나드리 |

❻ **일요일 날씨로 알맞은 것은 무엇입니까?**

내용 적용

①

②

③

　　우리 가족은 서울로 1박 2일 여행을 다녀왔다. 이번 여행에서 가장 기억에 남는 곳은 경복궁이었다. 우리가 갔을 때에는 주말이라 경복궁은 많은 사람들로 붐볐다. 전통 악기의 연주와 공연도 있었고, 여러 가지 전통 체험을 할 수 있는 공간도 있었다.

　　입구인 광화문에서는 외국인들이 한복을 빌려 입고 예쁘게 사진을 찍고 있었고, 안으로 들어가니 경복궁에서 가장 큰 건물인 근정전이 보였다. 근정전에서는 숭요한 행사를 치르고 여러 가지 나라 일을 결정했다고 하였다. 근정전에서 왼쪽을 바라보니 연못 가운데에 경회루가 있었다. 경회루는 왕이 잔치를 베풀거나 큰 행사가 있을 때 손님을 대접하던 곳이라고 하였다.

　　그 옛날 왕과 왕비가 지냈던 곳을 직접 둘러보니 무척 아름다웠다. 앞으로도 이런 아름다운 궁궐이 잘 보존되어 더 많은 사람들이 볼 수 있었으면 좋겠다.

7

핵심어

‘나’는 어디가 가장 기억에 남는다고 하였습니까?

8

내용 파악

여행에서 ‘나’가 본 것이 <u>아닌</u> 것은 무엇입니까?

① 전통 악기를 연주하고 공연하는 모습

② 조용하고 여유로운 주말 경복궁의 모습

③ 여러 가지 전통 체험을 할 수 있는 공간의 모습

④ 외국인들이 한복을 빌려 입고 사진을 찍는 모습

9 근정전과 경회루에서 하는 일을 알맞게 연결하시오.

내용 파악

(1) 근정전 •

• ㉠ 중요한 행사를 치르고 여러 가지 나라 일을 결정하던 곳.

(2) 경회루 •

• ㉡ 왕이 잔치를 베풀거나 큰 행사가 있을 때 손님을 대접하던 곳.

어휘력 체크체크

밑줄 친 낱말의 알맞은 뜻을 찾아 ✔표 하시오.

1. 올 겨울 **기온**은 작년보다 추울 것이다.

① 물의 온도. (   )
② 대기의 온도. (   )

2. 광장에서 **외국인**들이 사진을 찍고 있었다.

① 다른 나라의 사람. (   )
② 한국 국적을 가진 사람. (   )

3. 엄마는 손님에게 식사 **대접**을 하셨다.

① 오라고 손님을 부름. (   )
② 음식을 차려 손님을 모심. (   )

01~05 일차 글 읽기를 위한 어휘 연습

중요한 낱말을 다시 한번 확인하고 □에 써 보세요.

제빵사 (지을 製, - 스승 師)	빵을 만드는 사람. 예 나는 맛있는 빵을 만드는 □□□가 되고 싶다.
소쿠리	대나 싸리 따위를 어긋나게 짜서 만든 그릇. 예 우리는 과일을 □□□에 담았다.
떫다	설익은 감의 맛처럼 거세고 텁텁한 맛이 있다. 예 감이 덜 익어서 맛이 □□.
오염 (더러울 汚, 물들일 染)	더럽게 물듦. 또는 더럽게 물들게 함. 예 그곳의 지하수는 □□이 심한 상태였다.
재활용 (두 再, 살 活, 쓸 用)	낡거나 못 쓰게 된 용품 따위를 용도를 바꾸거나 손질을 가하여 다시 이용함. 예 다은이는 음료수를 마신 후 □□□통에 넣었다.
대피 (기다릴 待, 피할 避)	위험이나 피해를 입지 않도록 일시적으로 피함. 예 집이 물에 잠기자 옥상으로 □□를 했다.
보호 (보전할 保, 보호할 護)	위험이나 곤란 등이 미치지 않도록 잘 지키고 보살핌. 예 놀이터에서 어린아이들이 다치지 않도록 □□해야 한다.

01~05 일차 어휘력 쑥쑥 테스트

[01~03] 다음의 뜻에 알맞은 낱말을 [보기]에서 찾아 쓰시오.

┤ 보기 ├

보호　　　　제빵사　　　　소쿠리

01 대나 싸리 따위를 어긋나게 짜서 만든 그릇.

02 빵을 만드는 사람.

03 위험이나 곤란 등이 미치지 않도록 잘 지키고 보살핌.

[04~05] 주어진 낱말의 뜻을 바르게 연결하시오.

04 대피 ・

・㉠ 설익은 감의 맛처럼 거세고 텁텁한 맛이 있다.

05 떫다 ・

・㉡ 위험이나 피해를 입지 않도록 일시적으로 피함.

[06~07] 주어진 뜻을 읽고, 빈칸에 알맞은 낱말을 넣어 문장을 완성하시오.

06 시골에서는 ☐☐이 되지 않은 신선한 공기를 마실 수 있다.

＊뜻: 더럽게 물듦. 또는 더럽게 물들게 함.

07 ☐☐☐을 하면 쓰레기의 양을 줄일 수 있다.

＊뜻: 낡거나 못 쓰게 된 용품 따위를 용도를 바꾸거나 손질을 가하여 다시 이용함.

06~10 일차

소개문 문제 **①~③**

저는 오늘 계절에 따라 먹는 음식에 대해 소개하겠습니다. 봄에는 새싹이 돋고 날씨가 따뜻해지기 때문에 비타민이 풍부한 봄나물을 먹으며 졸음을 이겨 내요. 여름에는 뜨거운 햇볕에 땀을 많이 흘려 차가운 음식을 자주 먹게 되는데, 더운 날씨 때문에 음식이 쉽게 상하기도 해요. 그래서 삼계탕을 먹으며 차가워진 속을 따뜻하게 만들거나, 잘 상하지 않는 ⊙짭조름한 젓갈을 넣고 쌈을 싸 먹어요. 가을이 되면 낙엽이 지고 서서히 추워지기 때문에 가을볕에 말린 호박으로 죽을 쑤어 먹으며 기운을 내요. 겨울에는 찬바람이 불고 눈이 내려요. 그래서 뚝배기에 뜨거운 찌개나 탕을 끓여 먹으며 추위에 움츠러든 몸을 녹여요.

①
중심 내용

이 글에서 설명하고 있는 것은 무엇입니까?

계절에 따라 먹는 ☐☐ 입니다.

②
어휘

⊙은 어떤 맛을 말합니까?

① 단맛　　　② 신맛　　　③ 쓴맛　　　④ 짠맛

③
내용 파악

계절에 따라 먹는 음식을 바르게 연결하시오.

① 봄　　　•　　　　　　　　• ㉠ 젓갈을 넣고 싸 먹는 쌈

② 여름　•　　　　　　　　• ㉡ 뚝배기에 끓인 찌개나 탕

③ 가을　•　　　　　　　　• ㉢ 비타민이 풍부한 봄나물

④ 겨울　•　　　　　　　　• ㉣ 말린 호박으로 쑨 죽

아빠: 오늘 저녁은 밖에서 먹으려고 하는데, 삼겹살 어때?

엄마: 고기는 별로예요. 두부 음식 어때요? 두부는 건강에 좋으니까요.

상훈: 엄마에게 한 표! 저도 두부 음식 좋아요.

수민: 저는 중국 음식이 먹고 싶어요. 중국집에는 음식 종류가 많아서 골라 먹을 수도 있잖아요. 오빠도 자장면 좋아하지?

상훈: 하긴, 얼마 전에 TV에서 자장면 먹는 장면이 나왔는데 먹고 싶더라. 수민이 말대로 중국 음식도 괜찮은 거 같아요.

엄마: 그래, 그렇다면 엄마도 중국 음식을 먹는 것으로 생각을 바꿔야겠구나. 당신도 괜찮지요?

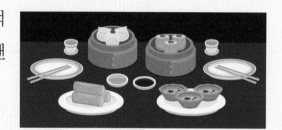

아빠: 물론이지. 자, 모두 중국집으로 출발!

4

내용 파악

엄마가 두부 음식을 추천한 이유는 무엇입니까?

① 두부가 건강에 좋기 때문이에요.

② 음식값이 싸고 맛도 좋기 때문이에요.

③ 음식 종류가 많아 골라 먹을 수 있기 때문이에요.

④ TV에 나오는 것을 보고 먹고 싶었기 때문이에요.

5

내용 이해

상훈이네 가족이 오늘 저녁을 먹으러 가는 음식점은 어디입니까?

① 중국집

② 떡볶이집

③ 삼겹살 식당

④ 두부 음식점

바람님은 온 골짜기를 돌며 힘자랑을 했어요. 그런데, 갑자기 바람이 앞으로 나가지를 못했어요. 바람은 조그만 소리로 말했어요.

"미륵*한테는 꼼짝 못하겠는걸. 아무리 해도 미륵을 날려 보낼 수가 없어."

"해님은 구름님한테 꼼짝 못하고, 구름님은 바람님한테 꼼짝 못하니까…… 그럼, 세상에서 제일 힘이 센 건 미륵님이네."

두더지 가족은 미륵을 만나러 떠났어요.

"세상에서 제일 힘센 미륵님! 우리 딸과 결혼해 제 사위가 되어 주세요."

"아무렴, 그렇지. 그렇고 말고. 내가 세상에서 제일 힘이 세지."

미륵은 신이 났어요. 그런데, 갑자기 미륵이 기우뚱기우뚱거렸어요.

"왜 그러세요, 미륵님?"

"사실은 말이야. 나도 꼼짝 못하는 게 하나 있는데, 그건……"

쿵! 미륵이 그만 쓰러지고 말았어요. 그런데 쓰러진 미륵의 발밑에서 누군가가 기어 나왔어요. 아빠 두더지가 말했어요.

"세상에! 두더지잖아! 그러니까, 세상에서 제일 힘이 센 건 우리 두더지로군요!"

＊ **미륵**: 어려움에 빠진 사람을 돕거나 구한다는 미래의 부처.

– 사윗감 찾아 나선 두더지 _ 김향금

---

⑥ **두더지 가족은 누구를 찾고 있습니까?**

중심 내용

세상에서 제일 힘이 센 [ ][ ][ ] 을 찾고 있습니다.

---

⑦ **이 글에서 가장 힘이 센 이는 누구입니까?**

내용 파악

①  ②  ③   ④

8

추론

마지막에 아빠 두더지에게 해 줄 말로 알맞은 것은 무엇입니까?

① 어차피 두더지에게 시집보낼 것을 왜 고생을 했는지 모르겠네요.

② 딸에게 맞는 사윗감이 두더지라는 것을 깨달았으니 참 다행이네요.

③ 딸이 좋아하는 사람은 바람님이었으니, 다시 바람님을 찾아가 보세요.

④ 그래도 미륵님에게 시집보내는 것이 나았을 텐데, 후회할지도 몰라요.

다음 뜻을 가진 낱말에 ○표 하시오.

1. 일 년을 기후 현상의 차이에 따라 나눈 한 철.

계절	온도

2. 찌개를 끓이거나 설렁탕 등을 담을 때 쓰는 그릇.

바가지	뚝배기

3. 딸의 남편.

사위	며느리

설명하는 글　문제 ❶~❸

옛날 사람들이 살았던 기와집이나 초가집은 어떤 집이었는지 알아볼까요?

기와집은 기와로 지붕을 만들어 덮은 집으로, 벼슬이 높거나 부자 그리고 양반일수록 크게 지었어요. 기와집은 여자와 남자가 생활하는 공간이 나누어져 있는 것이 특징이에요.

초가집은 볏짚으로 지붕을 만든 집으로, 농사를 지으며 살아가는 백성들이 짓기에 좋았어요. ㉠이런 집은 불에 약하고 지붕이 잘 썩는다는 문제점이 있었지만, 여름에는 시원하고 겨울에는 따뜻했어요.

[기와집]

[초가집]

1
중심 내용

이 글에서 설명하고 있는 것은 무엇입니까?

옛날 사람들이 살았던 　　　입니다.

2
문법 지식

㉠은 어떤 집을 의미합니까?

① 기와집　　　② 초가집　　　③ 돌담집　　　④ 아파트

3
내용 파악

집의 종류와 집을 지은 재료를 바르게 연결하시오.

① 기와집　•　　　　　　•　㉠ 볏짚

② 초가집　•　　　　　　•　㉡ 기와

여러분에게 제 꿈에 대해서 소개하겠습니다. 제 꿈은 요리사입니다. 그 이유는 제가 만든 요리를 먹고 많은 사람이 행복해지길 바라기 때문입니다.

저는 요리사가 되면 채소를 맛있게 먹을 수 있는 요리를 만들고 싶습니다. 대부분의 사람들이 채소가 몸에 좋은 것은 알지만 맛이 없다고 먹기 ㉠실어합니다. 그래서 채소를 맛있게 먹을 수 있는 요리를 만들면 몸에도 좋으면서 맛도 있으니 채소를 싫어하는 친구들도 잘 먹을 수 있을 것입니다.

④ 이 글을 어떤 글입니까?

글의 종류

자신의 꿈에 대해 □□ 하는 글입니다.

⑤ ㉠을 받침에 주의하여 바르게 쓰시오.

어휘

□□□□□ .

⑥ 글쓴이가 요리사가 되고 싶은 이유는 무엇입니까?

중심 내용

① 채소로 만든 음식은 안 먹어도 되기 때문이에요.

② 내가 좋아하는 맛있는 음식을 실컷 먹을 수 있기 때문이에요.

③ 공부는 하기 싫지만 요리를 만드는 것은 재미있기 때문이에요.

④ 내가 만든 요리를 먹고 많은 사람이 행복해지길 바라기 때문이에요.

시현: 할머니 뭐하세요?

할머니: 콩을 삶고 있지. 삶은 콩으로 메주를 만들어 간장과 된장을 만들거란다.

시현: 네? 콩으로 간장과 된장을 어떻게 만들어요?

할머니: 먼저 노란 콩을 가마솥에 넣고 푹 삶는단다. 콩이 익으면 절구에 넣고 찧은 다음 네모나게 뭉쳐서 모양을 만들지. 그것이 바로 메주란다.

시현: 아! 할머니 집 처마에 매달려 있던 그것이요?

할머니: 그렇지. 메주를 짚으로 묶어서 바람이 잘 통하는 곳에 걸어 말리는 거야. 메주가 마르면 항아리에 넣고 소금물을 가득 부은 다음에 숯, 고추, 대추를 그 물 위에 띄워 놓는단다.

시현: 숯은 왜 넣어요? 그러다가 못 먹게 되는 것 아니에요?

할머니: 아니야. 숯을 넣으면 나쁜 냄새를 없앨 수 있고 메주가 썩는 것을 막을 수 있어.

시현: 와! 숯이 그렇게 좋은 거였네요.

할머니: 그렇게 40일 정도가 지나면 소금물이 까맣게 되는데, 그 물을 걸러 내서 끓이면 간장이 되지. 또 항아리에 남아 있는 메주를 으깨어 소금을 넣고 한 달쯤 두면 된장이 된단다.

시현: 와, 신기해요.

7 이 글에서 이야기하고 있는 것은 무엇입니까?

중심 내용

　⬜⬜으로 메주를 만들어 간장과 된장을 만드는 방법입니다.

8 장을 담그기 위한 항아리에는 무엇이 들어 있는지 쓰시오.

핵심어

　⬜⬜, 소금물, ⬜⬜, 고추, 대추

9 (1)과 (2)는 간장과 된장 중 각각 무엇으로 변하는지 쓰시오.

내용 파악

(1) 항아리에 있던 까맣게 된 소금물을 걸러 내서 끓인 것. → [   ]

(2) 항아리에 남아 있던 메주를 으깨어 소금을 넣고 한 달쯤 둔 것. → [   ]

어휘력 체크체크

밑줄 친 낱말의 알맞은 뜻을 찾아 ✔표 하시오.

1. 아주머니는 떡을 할 쌀을 **절구**에 쿵쿵 빻았다.

① 곡식을 빻거나 찧으며 떡을 치기도 하는 기구. (   )

② 벼, 보리 따위의 이삭에서 낟알을 떨어내는 농기계. (   )

2. 마당에 있는 텃밭에는 여러 가지 **채소**가 자란다.

① 먹을 수 있게 기르는 풀. (   )

② 사람이 먹을 수 있는 열매. (   )

3. 할아버지는 시골에서 배추 **농사**를 지으신다.

① 물을 대지 않고 작물을 심어 가꾸는 땅. (   )

② 씨를 뿌리고 가꾸어 거두는 등의 과정을 통틀어 이르는 말.

(   )

안내문   문제 ①~③

버스를 이용할 때 지켜야 하는 여러 규칙과 예절에 대해 안내하겠습니다. 첫째, 차례를 지키며 버스에 타야 합니다. 사람들 사이로 새치기를 하면 앞사람이 넘어지시거나 내가 다칠 수도 있습니다. 둘째, 버스가 달릴 때에는 자리에 앉아 있어야 합니다. 만약 빈자리가 없다면 넘어지지 않도록 손잡이를 꼭 잡고 있어야 합니다. 버스에서 움직이거나 손잡이를 잡지 않으면 넘어질 위험이 있습니다. 셋째, 자신이 내릴 때가 되었을 때에만 '하차벨'을 눌러야 합니다. 내리지도 않는데 장난으로 하차벨을 누르면 운전하는 기사 아저씨와 다른 사람에게 방해가 됩니다.

1 이 글은 어떤 글입니까?

글의 종류

버스를 이용할 때의 규칙과 예절에 대해 ☐☐ 하는 글입니다.

2 버스를 이용할 때 지켜야 할 규칙과 예절로 알맞은 것은 무엇입니까?

내용 파악

① 버스가 달릴 때에는 자리에 앉아 있는다.
② 자리가 없을 때에는 손잡이를 잡지 않고 서 있는다.
③ 하차벨이 잘 울리는지 시험 삼아 여러 번 눌러 본다.
④ 버스를 탈 때에는 재빨리 앞쪽으로 끼어들어 먼저 탄다.

3 이 글에서 '순서를 어기고 남의 자리에 슬며시 끼어드는 행위.'라는 뜻을 가진 낱말은 무엇입니까?

어휘

☐☐☐

친구들과 이야기를 하다 보면 '생파(생일 파티)'나 '문상(문화상품권)'과 같은 줄임말을 쓰는 경우가 많습니다. 이런 줄임말은 대화 시간을 줄여주고 친구들과 재미있게 대화를 할 수 있게 해 줍니다. 또 친구들끼리 친근감을 느끼게도 합니다.

하지만 우리의 소중한 한글을 편리함이나 친근함을 위해서 줄여 쓰면 여러 가지 문제가 생깁니다. 줄임말을 계속 사용하면 우리 한글의 올바른 표현이 점점 사라질 것입니다. 또 줄임말을 이해하지 못하는 어른들과 말이 통하지 않을 수도 있습니다. 그리고 줄임말을 잘 모르는 친구들은 대화에 끼지 못하여 외로움을 느낄 수도 있습니다. 따라서 무조건 줄임말을 쓰기보다는 한글의 올바른 표현을 지켜 쓰도록 노력해야 합니다.

④ 이 글에서 글쓴이가 주장하는 것은 무엇입니까?

글의 주제

　　　　의 올바른 표현을 지켜 쓰자.

⑤ 줄임말을 많이 쓸 때 생기는 문제점은 무엇입니까?

내용 파악

① 대화에 걸리는 시간이 줄어듭니다.

② 한글의 올바른 표현이 점점 사라집니다.

③ 친구들과 재미있게 대화를 할 수 있습니다.

④ 줄임말을 사용하는 친구들끼리 친근감을 느낍니다.

⑥ 그림 속 어린이의 말을 바르게 고쳐 쓰시오.

내용 적용

석환아, 내일 내 생파에 올 수 있니?

→ _____

〈나의 식물 관찰 보고서〉

작성자	김은지
관찰 식물	끈끈이주걱
관찰 날짜	20○○. ○. ○.
관찰 장소	대한식물원

끈끈이주걱의 사진

끈끈이주걱의 특징 및 사는 곳

- 잎: 가느다란 분홍색 털이 수백 개 나 있고, 털끝에는 끈끈한 액체가 방울방울 달려 있음.
- 꽃: 7월에 흰색 꽃이 핌.
- 사는 곳: 햇빛이 잘 드는 숲속의 습한 곳 또는 늪 주변.

끈끈이주걱의 벌레 잡는 과정

① 잎에 달린 끈끈한 털로 곤충을 오게 한다.
② 털에 꿀이 많을 것이라고 착각한 곤충이 털에 있는 끈끈한 액체에 달라붙는다.
③ 털이 가운데로 오므라들면서 곤충을 가둔 뒤 곤충을 녹여 먹는다.

느낀 점

조사를 하기 전에는 식물이 어떻게 벌레를 잡는지 궁금했는데, 실제로 끈끈이주걱에 벌레가 붙어 있는 모습을 보니 너무 신기했다.

---

7 이 글은 어떤 글입니까?

글의 종류

끈끈이주걱을 관찰하고 그 결과를 쓴 관찰 ☐☐☐ 입니다.

8 끈끈이주걱의 특징으로 알맞지 <u>않은</u> 것은 무엇입니까?

내용 파악

① 7월에 흰색 꽃이 피어나요.

② 잎에는 가느다란 검은 털이 수백 개 있어요.

③ 잎에 난 털끝에는 끈끈한 액체가 달려 있어요.

④ 햇빛이 잘 드는 숲속의 습한 곳이나 늪 주변에 주로 살아요.

어휘력 체크체크

다음 뜻을 보고 어떤 낱말인지 [보기]에서 찾아 쓰시오.

| 보기 |
| 친근감   차례   예절   거부감 |

1. 뜻: 여럿을 먼저와 나중의 관계에 따라 하나씩 벌인 순서.

예 그는 번호표를 뽑고 자신의 □□를 기다렸다.

2. 뜻: 예의에 관한 모든 절차나 질서.

예 수지는 어른에게 □□을 갖추어 인사한다.

3. 뜻: 사귀어 지내는 사이가 아주 가까운 느낌.

예 재석이는 오늘 처음 만났는데도 □□□이 느껴졌다.

설명하는 글　문제 ❶~❸

　　우리 민족과 나라를 나타내는 태극기는 흰색 바탕의 한 가운데에 태극무늬가 그려져 있고, 네 귀퉁이에는 검은색 선늘이 그려져 있어요.

　　태극기의 흰색 바탕은 밝고 깨끗하며 평화를 사랑하는 우리 민족을 나타내요. 그리고 중앙에 들어간 태극의 위쪽은 빨간색, 아래쪽은 파란색이에요. 이것은 모든 것들이 서로 어울려 평화롭게 살아간다는 뜻이랍니다.

　　또 네 귀퉁이에 있는 검은 선들을 '건, 곤, 감, 이'라고 하는데, 이것을 4괘라고 해요. '건'은 하늘을, '곤'은 땅을, '감'은 물을, '이'는 불을 의미해요. 이들 4괘는 태극을 중심으로 조화를 이루고 있어요.

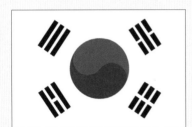

1 이 글에서 설명하고 있는 것은 무엇입니까?

중심 내용

우리 민족과 나라를 나타내는 ☐☐☐ 입니다.

2 태극기에 대한 설명으로 바르지 <u>않은</u> 것은 무엇입니까?

내용 파악

① 태극기의 바탕은 흰색이에요.

② 중앙의 태극은 평화롭게 살아간다는 뜻이에요.

③ 태극의 위쪽은 파란색, 아래쪽은 빨간색이에요.

④ 네 귀퉁이의 검은 선들은 하늘, 땅, 물, 불을 의미해요.

3 '건, 곤, 감, 이'를 무엇이라고 하는지 이 글에서 찾아 쓰시오.

내용 파악

☐☐

2000년 〇월 〇일, 날씨 맑음

우리 가족은 단풍 구경을 하려고 공원에 갔다. 엄마는 맛있는 도시락을 준비하셨고, 아빠는 자전거를 차에 실으셨다. 공원에는 단풍이 울긋불긋 예쁘게 물들어 있었다. 아빠는 단풍이 너무 예쁘다며 사진도 찍으셨다.

공원에는 고추잠자리가 윙윙 날아다니고 우리 강아지도 신이 나서 멍멍 짖었다. 동생도 깔깔 웃으며 이리저리 뛰어다녔다. 나는 자전거도 탔는데 시원한 바람이 무척 상쾌했다.

❹ 이 글은 어떤 글입니까?

글의 종류

공원에 단풍 구경을 갔던 일을 쓴 □□입니다.

❺ 단풍이 물들어 있는 모양을 흉내 낸 말을 찾아 쓰시오.

어휘

□□□□

❻ 이 글을 그림일기로 표현할 때의 모습으로 알맞지 <u>않은</u> 것은 무엇입니까?

내용 적용

① 엄마가 단풍 사진을 찍는 모습

② 고추잠자리가 날아다니는 모습

③ 강아지가 신이 나서 멍멍 짖는 모습

④ 동생이 깔깔 웃으며 뛰어다니는 모습

옛날 어느 동네에 어여쁜 딸을 셋이나 둔 아버지가 있었어요. 하루는 아버지가 딸 셋을 한자리에 불러 이렇게 말했어요.

"이제 너희도 많이 컸으니 내년엔 할아버지 생신 선물을 준비해 보아라."

그러고는 콩 한 알씩을 나눠 주었어요.

"작디작은 콩 한 알로 선물을 준비하라고? 말도 안 돼."

큰딸은 콩을 창밖으로 던져 버렸어요.

"콩을 심어 놓으면 가만히 뒤도 무럭무럭 자랄 테니까!"

둘째 딸은 콩을 땅에 심고 꾹 밟아 놓았어요.

그런데 막내딸은 산에 올라가 콩을 미끼로 써서 꿩을 잡았어요.

"꿩을 팔아서 무엇을 살까?"

막내딸은 꿩을 팔아 병아리 한 쌍을 샀어요. 병아리를 어미 닭으로 키우고, 어미 닭이 달걀을 낳으면 병아리를 까게 하여 다시 어미 닭으로 키웠어요.

마침내 시간이 흘러 할아버지 생신날이 되었어요. 아버지가 세 딸을 불러 선물을 가져오라고 했어요. 큰딸과 둘째 딸은 고개만 수그리고 아무 말도 하지 못했어요. 그 때 막내딸이 송아지를 끌고 나왔어요. 사람들은 깜짝 놀랐어요. 막내딸은 콩 한 알로 송아지를 사게 된 이야기를 해 주었어요. 할아버지와 아버지는 함박웃음을 지었어요.

– 콩 한 알과 송아지

7 이 글의 내용으로 알맞은 것은 무엇입니까?

내용 파악

① 딸들은 모두 콩을 좋아했다.

② 큰딸은 콩을 소중히 간직했다.

③ 막내딸은 병아리에게 콩을 먹였다.

④ 아버지는 딸들에게 콩을 한 알씩 주었다.

8 다음 인물들의 말에 어울리는 목소리를 바르게 연결해 보시오.

추론

(1) [큰딸] "작디작은 콩 한 알로 선물을 준비하라고? 말도 안 돼."   •

  • ㉠ 기분 좋은 목소리

(2) [둘째 딸] "콩을 심어 놓으면 가만히 둬도 무럭무럭 자랄 테니까!"   •

  • ㉡ 귀찮아하는 목소리

(3) [막내딸] "꿩을 팔아서 무엇을 살까?"   •

  • ㉢ 불만 섞인 목소리

어휘력 체크체크

다음 뜻을 가진 낱말에 ○표 하시오.

1. 사물이나 마음의 한구석이나 부분.

모퉁이	귀퉁이

2. 전쟁이나 갈등이 없이 평온함.

평화	불안

3. 어긋나거나 부딪침이 없이 서로 고르게 잘 어울림.

조화	불화

기행문 문제 ❶~❷

　　우리 가족은 순천으로 여행을 떠났다. 출발한 지 2시간 만에 낙안읍성에 도착했다. 아빠가 조선 시대 때 낙안읍성 안에는 관아*와 군대가 있었고, 백성들노 살았나고 일려 주셨다.

　　성문 안으로 들어서자 초가집이 가장 먼저 보였다. 초가집 돌담 위에는 장미꽃이 활짝 피어 있었고, 안으로 더 들어가니 물레방아가 보였다. 물레방아라고 하면 커다란 바퀴가 돌아가는 모습만 봤는데, 방아로 곡식을 빻는 과정까지 볼 수 있어 신기했다. 그리고 읍성 안 골목길로 들어갔는데, 자갈이 군데군데 섞여 있는 흙길이었다. 우리는 읍성 자료관에도 들러서 옛날 사람들이 생활하는 모습을 찍은 사진도 보았다. 오늘은 내가 조선 시대로 여행을 다녀온 것 같아 너무 신나는 하루였다.

＊**관아**: 예전에, 나랏일을 처리하던 곳.

1 글쓴이가 직접 본 것이 <u>아닌</u> 것은 무엇입니까?

내용 적용

① 물레방아로 곡식을 빻고 있는 모습

② 초가집 돌담 위에 장미꽃이 활짝 피어 있는 모습

③ 낙안읍성 안에 있는 관아와 군대, 백성들의 모습

④ 읍성 자료관의 사진에서 옛날 사람들이 생활하는 모습

2 글쓴이가 여행을 하면서 느낀 점은 무엇입니까?

내용 파악

① 자갈이 섞여 있는 흙길을 다녀서 불편했어요.

② 조선 시대로 여행을 다녀온 것 같아 신났어요.

③ 커다란 바퀴가 돌아가는 물레방아가 무서웠어요.

④ 낙안읍성에 왜 사람들이 살고 있는지 궁금했어요.

쇠똥뿐만 아니라 다양한 짐승의 똥을 굴리며 다니는 '쇠똥구리'. 이름에서도 알 수 있듯이 똥과 아주 관련이 깊은 친구랍니다.

쇠똥구리는 부채처럼 퍼진 넓적한 모양의 머리를 갖고 있어요. 그리고 앞다리는 너비가 넓고 바깥쪽으로 톱니바퀴 모양을 하고 있어요.

쇠똥구리는 소, 말, 낙타, 염소 등 다양한 짐승의 똥을 먹이로 삼고 데굴데굴 굴리고 다닙니다. 공 모양으로 만든 똥을 뒷다리 사이에 끼우고 물구나무서기를 한 채로 굴리고 가서 부드러운 흙 속에 파묻은 뒤 하루 종일 먹는다고 해요. 또 굴려서 가져간 똥 안에 알을 낳기도 하고요. 수컷들은 큰 똥 덩어리를 만들어 암컷의 관심을 끌기도 합니다.

③ 이 글에서 설명하고 있는 것은 무엇입니까?

글의 주제

의 생김새와 특성

④ 쇠똥구리가 알을 낳는 장소는 어디입니까?

내용 파악

 안

⑤ 쇠똥구리에 대한 설명으로 알맞은 것은 무엇입니까?

중심 내용

① 똥을 재료로 삼아서 집을 짓기도 해요.

② 똥을 부드러운 흙 속에 파묻은 뒤 하루 종일 먹어요.

③ 수컷들은 예쁜 똥 덩어리를 만들어 암컷의 관심을 끌기도 해요.

④ 공 모양으로 만든 똥을 앞다리 사이에 끼우고 바로 서서 굴려요.

아파트에 사는 사람들이 많은 요즘, 층간 소음 문제로 윗집과 아랫집 사이에 다툼이 생기는 경우가 많습니다. 층간 소음이란 여러 집이 사는 주택 또는 아파트의 층과 층 사이에서 발생하는 소음을 말합니다. 이러한 층간 소음을 줄이기 위해 우리는 다음과 같이 노력해야 합니다.

첫째, 걸음은 사뿐사뿐 걷습니다. 쿵쿵거리는 발걸음 소리와 뛰는 소리는 층간 소음을 만듭니다. 둘째, 문은 부드럽게 살살 닫습니다. 문을 '쾅' 닫는 소리가 다른 집에는 큰 소리로 울리게 되니 주의해야 합니다. 셋째, 가구는 늦은 시간에는 옮기지 않습니다. 또 늦은 시간에 악기 연주, 청소기, 세탁기 소리 역시 이웃을 방해하는 행동입니다. 넷째, TV나 음악 소리는 볼륨을 낮춥니다. 나의 즐거움을 위해 다른 사람을 방해해서는 안 됩니다.

⑥ 이 글의 제목을 다음과 같이 정할 때, 빈칸에 알맞은 낱말은 무엇입니까?

글의 제목

우리 집에서는 평범한 소리, 아랫집에서는 ☐☐ 소리

① 토끼   ② 천둥   ③ 구름   ④ 나비

⑦ 다음의 빈칸에 알맞은 층간 소음을 줄이는 방법을 쓰시오.

내용 파악

걸음은 ☐☐☐☐ 걸어요.

8 층간 소음 줄이기를 제대로 실천하지 <u>못한</u> 사람은 누구입니까?

내용 적용

① 지희: 문을 닫을 때는 부드럽게 살살 닫아요.

② 소민: 자기 전에 음악을 들을 때는 볼륨을 낮추어요.

③ 승재: 음악 평가 때문에 밤늦게 피아노 연습을 해요.

④ 수현: 늦은 밤에 책상을 옮기고 싶지만 날이 밝을 때 해요.

다음 뜻을 보고 어떤 낱말인지 [보기]에서 찾아 쓰시오.

보기
과정　　　소음　　　너비

1. 뜻: 일이나 상태가 진행하는 경로.

예 선생님은 결과보다 ⬜⬜ 을 중요하게 생각하신다.

2. 뜻: 평면이나 넓은 물체의 가로를 잰 길이.

예 이 강은 ⬜⬜ 가 넓다.

3. 뜻: 시끄러운 소리.

예 집 근처 공사장에서 나는 ⬜⬜ 이 너무 시끄럽다.

중요한 낱말을 다시 한번 확인하고 □에 써 보세요.

방해 (방해할 妨, 해칠 害)	남의 일을 잘못되게 하거나 못하게 함. 예 네가 여기 있으면 오히려 ⬚⬚가 되니 나가 놀아라.
조사 (고를 調, 조사할 査)	어떤 일이나 사실 또는 사물의 내용 따위를 명확하게 알기 위하여 자세히 살펴보거나 밝힘. 예 경찰은 ⬚⬚를 통해 사건의 증거를 발견하였다.
으깨다	누르거나 문질러 잘게 부스러뜨리다. 예 얼음을 ⬚⬚⬚.
기와	지붕을 올리는 데에 쓰기 위하여 흙을 굽거나 시멘트 따위를 굳혀서 만든 건축 재료. 예 지붕 위로 ⬚⬚를 한 장 한 장 정성스럽게 올렸다.
볏짚	벼의 낟알을 떨어낸 줄기. 예 들판에는 ⬚⬚ 더미가 군데군데 쌓여 있었다.
숯	나무를 불에 구워 낸 검은 덩어리. 예 화덕에 ⬚을 넣어 불을 피웠다.
함박웃음	크고 환하게 웃는 웃음. 예 수진이는 ⬚⬚⬚⬚을 지으며 반갑게 인사했다.

[01~03] 다음의 뜻에 알맞은 단어를 [보기]에서 찾아 쓰시오.

보기
조사   볏짚   으깨다   뭉치다

01 벼의 낟알을 떨어낸 줄기.   ☐☐

02 누르거나 문질러 잘게 부스러뜨리다.   ☐☐☐

03 어떤 일이나 사실 또는 사물의 내용 따위를 명확하게 알기 위하여 자세히 살펴보거나 밝힘.   ☐☐

[04~06] 주어진 뜻을 읽고, 빈칸에 알맞은 낱말을 넣어 문장을 완성하시오.

04 겨울이 되면 화로에 ☐ 을 담아 고구마를 구워 먹었다.

* 뜻: 나무를 불에 구워 낸 검은 덩어리.

05 도서관에서 주위의 ☐☐ 를 받지 않고 책을 조용히 읽을 수 있었다.

* 뜻: 남의 일을 잘못되게 하거나 못하게 함.

06 할머니는 나를 보자 ☐☐☐☐ 을 지으며 안아 주셨다.

* 뜻: 크고 환하게 웃는 웃음.

07 주어진 첫 글자와 뜻을 보고, ☐안에 들어갈 낱말을 쓰시오.

ㄱ ㅇ	* 뜻: 지붕을 올리는 데에 쓰기 위하여 흙을 굽거나 시멘트 따위를 굳혀서 만든 건축 재료. 지붕 위로 ☐☐ 를 한 장 한 장 정성스럽게 올렸다.

11~15 일차

편지글   문제 **1**~**3**

르네에게

안녕, 나는 대한민국에 살고 있는 승우라고 해. 얼마 전 선생님께 네가 살고 있는 아이티에 지진이 심하게 나서 너희 집이 무너졌다고 들었어. 무섭고 힘들었겠다. 지진이 났을 때 헤어진 부모님을 아직 찾지 못했다고 들었어. 너를 돕고 싶어서 그동안 내가 모은 저금통을 편지와 함께 보내. 이 돈으로 네가 병원에서 치료를 받아 다친 팔도 빨리 나았으면 좋겠어. 부모님도 빨리 찾고 무너진 너희 집도 다시 지어서 예전처럼 행복하게 살게 되길 바랄게. 건강히 잘 있어.

2○○○년 ○월 ○일

승우가

1

글의 종류

이 글은 어떤 글입니까?

승우가 아이티에 사는 르네에게 쓴 ☐☐ 입니다.

2

내용 파악

르네는 현재 어떤 상황입니까?

① 르네의 집이 지진으로 무너졌다.

② 르네는 지진 소식을 TV로 봤다.

③ 감기에 걸려서 병원에서 치료를 받고 있다.

④ 부모님은 돈을 벌기 위해 다른 나라로 가셨다.

3

추론

승우가 보낸 편지를 읽은 르네의 마음은 어떨까요?

① 화가 났을 것이다.   ② 슬픈 마음이 들 것이다.

③ 고마운 마음이 들 것이다.   ④ 서운한 마음이 들 것이다.

하나는 뭐니 하나는 해이지

둘은 뭐니 둘은 콧구멍

셋은 뭐니 셋은 지겟다리

넷은 뭐니 넷은 ㉠밥상 다리

다섯은 뭐니 다섯은 손가락

여섯은 뭐니 여섯은 파리다리

일곱은 뭐니 일곱은 북두칠성

여덟은 뭐니 여덟은 문어다리

아홉은 뭐니 아홉은 여우꼬리

열은 뭐니 열은 오징어다리

4
중심 내용

이 글은 무엇에 대한 글입니까?

를 세며 노래를 부르는 동요입니다.

5
내용 적용

㉠과 바꾸어 쓸 수 있는 노랫말은 무엇입니까?

①

[거북이 다리]

②

[병아리 다리]

③

[타조 다리]

6
추론

이 동요를 부를 때 느껴지는 분위기는 무엇입니까?

① 슬픔이 느껴집니다.

② 불쾌함이 느껴집니다.

③ 흥겨움이 느껴집니다.

④ 무거움이 느껴집니다.

　　양분을 뿌리에 저장하는 채소를 뿌리채소라고 하는데, 우리는 그 뿌리를 먹습니다. 뿌리채소는 흙 속의 영양분을 직접 받아 좋은 영양소를 많이 가지고 있습니다. 그래서 우리 몸을 튼튼하게 합니다.

　　잎에서 만든 양분을 뿌리에 저장하는 뿌리채소에는 무, 고구마, 당근, 우엉이 있습니다. 무는 알싸하면서도 달콤한 맛을 냅니다. 특히 열이 나거나 목이 아프거나 기침이 날 때 무를 먹으면 효과가 있습니다. 고구마는 감자에 비해 비타민 C가 많고 소화가 잘 됩니다. 삶거나 굽는 것 외에 튀김이나 죽으로도 조리합니다. 당근은 주황색을 띠는데 눈에 좋은 영양소가 매우 많습니다. 맛이 달아 나물이나 김치, 서양 요리에 많이 이용합니다. 우엉은 아삭아삭 씹는 맛이 매력인 뿌리채소입니다. 우엉은 긴 막대기처럼 생겼는데, 우엉을 먹으면 변비 예방에 좋습니다.

⑦ 이 글은 어떤 글입니까?

글의 종류

뿌리채소에 대해 ▢▢ 하는 글입니다.

⑧ 다음 내용을 보고 어떤 채소를 먹으면 좋을지 바르게 연결하시오.

내용 적용

(1) "나는 요즘 변비가 심해서 고생하고 있어." •

• ㉠

(2) "목도 아프고 기침이 많이 나네." •

• ㉡

(3) "눈이 자꾸 나빠지는지 칠판 글씨가 잘 안보여서 걱정이야." •

• ㉢

9 빈칸에 들어갈 알맞은 낱말은 무엇입니까?

숭심 내용

뿌리채소는 잎에서 만든 양분을 ☐☐에 저장합니다.

① 꽃잎   ② 씨앗   ③ 줄기   ④ 뿌리

어휘력 체크체크

밑줄 친 낱말의 알맞은 뜻을 찾아 ✔표 하시오.

1. 오늘 점심 메뉴는 나물을 넣어 만든 비빔밥이다.

① 간장에다 쇠고기를 넣고 조린 반찬. (   )

② 뿌리, 줄기, 채소 따위를 다듬거나 데친 뒤 양념에 무쳐서 만든 음식. (   )

2. 연주가 사과를 아삭아삭 씹어 먹었다.

① 작고 단단한 물건을 잇따라 깨무는 소리. (   )

② 연하고 싱싱한 과일이나 채소 따위를 보드랍게 베어 물 때 나는 소리. (   )

3. 영화감독이라는 직업은 매력이 있어 보인다.

① 사람의 마음을 끌어당기는 묘한 힘. (   )

② 좋게 여기는 느낌. (   )

토론 문제 ❶~❷

선생님: 오늘의 토론 주제는 '학교에 휴대 전화를 가지고 와야 한다.'입니다. 찬성 의견과 반대 의견을 모두 들어보겠습니다. 찬성하는 친구가 먼저 이야기해 보세요.

영민: 저는 휴대 전화를 학교에 가지고 오는 것에 찬성합니다. 학교가 끝나면 바로 학원에 가야 합니다. 그런데 휴대 전화가 없으면 부모님과 연락을 할 수 없어 부모님이 걱정하시기 때문입니다.

민정: 저는 반대합니다. 휴대 전화를 가지고 오면 수업 시간에 벨이 울려서 방해가 되기도 합니다. 그리고 선생님 몰래 게임을 하고 싶은 마음이 들기 때문에, 휴대 전화를 학교에 가져오지 않는 것이 좋다고 생각합니다.

❶ 이 토론에서 찬성하는 사람과 반대하는 사람이 누구입니까?

내용 파악

(1) 찬성하는 사람: ☐☐

(2) 반대하는 사람: ☐☐

❷ 이 토론에서 영민이가 찬성하는 이유는 무엇입니까?

중심 내용

① 수업 시간에 휴대 전화가 울려서 방해가 되기 때문입니다.

② 내 휴대 전화이기 때문에 내 마음대로 할 수 있기 때문입니다.

③ 선생님 몰래 게임을 하고 싶은 마음이 들기 때문입니다.

④ 부모님과 연락을 할 수 없어 부모님이 걱정하시기 때문입니다.

ㅗ○○○년 ○월 ○일, 날씨 맑음

　나는 오늘 저녁을 먹고 엄마, 아빠, 채원이와 함께 공원으로 산책을 갔다. 그런데 채원이가 졸리는지 계속 울어서 아빠랑 공차기도 못하고, 공원 연못에 있는 물고기 구경도 못하고 집으로 돌아왔다.

　나는 채원이 때문에 너무 화가 났다. 그래서 자는 채원이의 팔을 꼬집었는데 채원이가 눈을 떴다. 울까봐 겁이 났었는데 채원이는 나를 보고 방긋 웃었다. 웃으며 나에게 오는 채원이를 보니 미안해서 우유를 주었다.

---

❸ 이 글에서 일이 일어난 순서대로 번호를 쓰시오.

일의 순서

일의 순서	일어난 일
	공원에서 채원이가 계속 울었다.
	잠에서 깬 채원이가 나를 보고 방긋 웃었다.
	나는 자는 채원이의 팔을 꼬집었다.
	채원이에게 미안해서 우유를 주었다.

---

❹ 이 글에서 '입을 약간 벌리며 소리 없이 밝고 가볍게 웃는 모양'을 나타내는 낱말은 무엇입니까?

어휘

---

❺ '나'는 공원에서 무엇을 하고 싶어 했는지 모두 고르시오.

내용 적용

① 　② 　③

　　끝말잇기는 재미와 웃음을 위한 놀이 도구로 말을 사용하는 거예요. 옛날 어른들이 놀이를 하면서 재미있게 언어를 배울 수 있도록 만든 것이지요. 끝말잇기는 두 가지 방식이 있어요.

　　먼저 앞에서 한 말의 마지막 낱말을 뒤에 이어받는 끝말잇기 방식이 있어요. 이는 '말꼬리따기'라고도 해요. 예를 들어 '원숭이 엉덩이는 빨강 / 빨강은 사과 / 사과는 맛있다'로 이어져요. 이것은 혼자서 앞에서 한 말의 마지막 낱말을 이어간 것이지요.

　　이런 방식 말고도 여러 사람이 끝말을 이어 가는 방식도 있어요. 차례를 정하고, 한 사람이 한 낱말을 말하면 다음 사람이 그 낱말의 끝 글자를 이어받아 새로운 단어를 말해요. 예를 들어 첫 번째 사람이 '사과'라고 하면 그 다음 사람은 '과자', 그 다음은 '자세'라고 이어서 받는 것이에요. 만약 정해진 시간 내에 새로운 단어를 잇지 못하면 승부에서 지게 되고 벌칙을 받아요.

⑥ 이 글은 무엇에 대해 설명하고 있습니까?

중심 내용

에 대해서 설명하고 있습니다.

⑦ 앞에서 한 말의 마지막 낱말을 뒤에 이어받는 끝말잇기 방식은 무엇입니까?

핵심어

따기

8 여러 사람이 끝말잇기를 할 때, 놀이 순서에 맞게 번호를 쓰시오.

내용 적용

> 여러 사람이 차례를 정해요.

> 다음 사람이 '교문'이라고 단어를 말해요.

> 다음 사람이 '문제'라고 단어를 말해요.

> 첫 번째 사람이 '학교'라고 단어를 말해요.

9 끝말잇기에 대한 설명으로 맞으면 ○표, 틀리면 ×표 하시오.

내용 파악

(1) 끝말잇기는 혼자서는 할 수 없어요.　　　　　(　　　)

(2) 여러 사람이 차례를 정해서 함께 할 수 있어요.　(　　　)

(3) 놀이를 하면서 재미있게 언어를 배울 수 있어요.　(　　　)

어휘력 체크체크

다음 뜻을 가진 낱말에 ○표 하시오.

1. 어떤 사실을 상대편에게 알림.

| 연락 | 수락 |

2. 일정한 형식이나 방법.

| 방식 | 수식 |

3. 여러 사람이 모여서 즐겁게 노는 일.

| 휴식 | 놀이 |

건의하는 글   문제 ❶∼❷

저는 친구들에게 건강을 지키기 위한 생활 습관을 실천하자고 건의합니다. 추운 겨울, 건강을 유지하기 위해서는 첫째, 물을 적당히 섭취합시다. 건조한 겨울에는 몸속에 수분이 부족하면 기침을 할 수 있습니다. 그러니 수분이 부족하지 않도록 물을 적당히 마시도록 합니다. 둘째, 외출 후에는 바로 손을 씻도록 합시다. 손을 씻으면 감기 같은 질병을 예방하는 데 도움이 됩니다. 셋째, 적당한 운동을 합시다. 춥다고 집 안에만 있으면 오히려 건강에 좋지 않습니다. 적당한 운동은 겨울에 우리가 건강을 지킬 수 있는 힘을 줍니다. 우리 모두 쉽고 간단한 것부터 실천하여 겨울을 건강하게 보냅시다.

1
중심 내용

이 글에서 건의하고 있는 내용은 무엇입니까?

건강을 지키기 위한 ☐☐ ☐☐ 을 실천하자는 것입니다.

2
내용 파악

다음 내용을 보고 건강을 유지하기 위한 도움말을 알맞게 연결하시오.

(1) 자꾸 기침이 난다. •   • ㉠ 물을 적당히 마신다.

(2) 외출하고 집으로 돌아왔다. •   • ㉡ 밖에 나가 적당한 운동을 한다.

(3) 추워서 집 안에만 있다. •   • ㉢ 바로 손을 씻어야 한다.

정약용은 1762년 경기도 광주군 마현에서 정재원의 넷째 아들로 태어났어요. 정약용은 어릴 적부터 똑똑하기로 온 마을에 소문이 났어요. 그는 문제가 있는 법을 고치거나, 발명품을 만들어 백성들을 돕고자 했어요.

그런데 1801년에 뜻하지 않은 사건으로 귀양살이를 떠나 어느 마을로 가게 되었어요. 그 마을 사람들은 물고기를 잡아 살아갔는데, 정약용은 그들이 사용하는 그물이 매우 약하다는 것을 알게 되었어요. 정약용은 여러 책을 살펴보며 명주실로 그물을 엮으면 그물이 더 튼튼해진다는 것을 알아냈고, 그 사실을 사람들에게 알려 주었어요. 덕분에 사람들은 새로운 그물로 더 많은 물고기를 잡을 수 있게 되었어요. 마을 사람들은 '남을 도우려고 애쓰는 진정한 학자'라고 정약용을 칭찬했어요.

③ 이 글은 어떤 글입니까?

글의 종류

정약용의 생애와 업적, 성품 등을 기록한 ☐☐☐입니다.

④ 정약용에 대한 내용으로 알맞은 것은 무엇입니까?

내용 파악

① 1762년 정재원의 첫째 아들로 태어났어요.

② 1801년 어느 마을로 여행을 가게 되었어요.

③ 어릴 적에는 똑똑하다는 소리를 듣지 못했어요.

④ 명주실로 그물을 엮으면 튼튼해진다는 것을 알아냈어요.

⑤ 마을 사람들은 정약용에 대해 어떻게 말했는지 이 글에서 찾아 쓰시오.

중심 내용

그 분은 늘 '남을 도우려고 애쓰는 진정한 ☐☐'입니다.

국악 체험 캠프

1. 캠프 개요

- 일시 및 장소: 20◯◯년 7월 23일~25일, ◯◯국악고등학교
- 신청 대상: 초등학교 1~6학년
- 신청 기간: 7월 13일까지
- 체험비: 무료

2. 캠프 일정

- 7월 23일 오전 10시, ◯◯터미널 앞 셔틀버스를 운영함.

	23일(월)	24일(화)	25일(수)
07:00~08:50		기상 및 아침 식사	
09:00~11:00		민요(진도 아리랑)	국악 이론
11:10~13:00	등록, 숙소 배정	사물놀이	국악 진로 탐색
13:00~14:00	점심 식사		
14:00~16:00	입소식, 안전 교육	탈춤(봉산탈춤)	단체 공연
16:10~18:00	민속놀이(강강술래)	국악기 연주(가야금)	퇴소식, 귀가
18:00~19:00	저녁 식사		
19:00~21:00	전통 무용(부채춤)	전통 공연 의상 및 분장 체험	

❻ 이 글은 누구를 대상으로 썼습니까?

내용 파악

국악 체험 캠프에 참가하려는 　|　|　|　학교 1~6학년

❼ 국악 이론과 국악 진로 탐색 등을 체험할 수 있는 날은 언제입니까?

내용 파악

　|　일

8 이 안내문을 잘못 이해한 사람은 누구입니까?

내용 파악

① 혜원: 민속놀이인 강강술래를 해 볼 수 있겠네.

② 은수: 판소리를 배우고 직접 공연도 할 수 있겠네.

③ 영준: 가야금 같은 국악기를 직접 연주해 볼 수 있겠네.

④ 형근: 전통 공연 의상도 입어보고, 전통 무용도 배울 수 있겠네.

다음 뜻을 보고 어떤 낱말인지 [보기]에서 찾아 쓰시오.

보기

배정　　섭취　　수분

1. 뜻: 물의 축축한 기운.

예 나는 수박처럼 □□이 많은 과일을 좋아한다.

2. 뜻: 영양소나 양분 등을 몸안에 받아들임.

예 유주는 뼈를 튼튼하게 하기 위해 우유를 □□하였다.

3. 뜻: 몫을 나누어 정함.

예 방□□은 추첨으로 할 예정입니다.

일기 　문제 ❶~❸

> 2○○○년 ○월 ○일, 날씨 맑음
>
> 나는 오늘이 어린이날이라서 아빠와 야구 경기를 보러 갔다. 나와 아빠가 좋아하는 팀은 이날 7대 3으로 경기를 이겼다. 나는 "이겨라!" 하고 목이 터지게 외치기도 하고 응원단의 율동을 따라 하기도 했다. 아빠와 같이 한 팀을 응원하는 것이 정말 신나고 즐거웠다. 아빠는 그런 나에게 음료수와 치킨을 사 주셨다. 또 야구 규칙도 가르쳐 주셨다. 예전에는 야구 규칙을 몰랐지만, 이제는 각 팀이 9명으로 이뤄지고 두 팀이 9회 동안 공격과 수비를 번갈아 한다는 것 정도는 알게 되었다.

❶ **'나'는 아빠와 무엇을 했습니까?**

중심 내용

'나'는 아빠와 ☐☐ 경기를 보러 갔습니다.

❷ **'나'가 아빠와 야구 경기를 본 후 알게 된 규칙이면 ○표, 아니면 ×표 하시오.**

내용 파악

(1) 9명이 한 팀을 이룬다. 　　　　　　　　(　　)

(2) 9회 동안 공격과 수비를 번갈아 한다. 　(　　)

(3) 야구공, 배트, 글러브가 꼭 있어야 한다. (　　)

❸ **이 글을 통해 알 수 있는 내용이 <u>아닌</u> 것은 무엇입니까?**

내용 파악

① 나와 아빠가 좋아하는 팀이 7:3으로 졌다.

② 아빠는 나에게 음료수와 치킨을 사 주셨다.

③ 나는 어린이날이어서 아빠와 야구 경기를 보러 갔다.

④ 나와 아빠는 같은 팀을 좋아해서 함께 그 팀을 응원했다.

우리 주변에는 많은 표지판이 있습니다. 표지판은 어떠한 사실을 알리기 위해 일정한 표시를 해 놓은 판을 말합니다. 그렇다면 박물관에서 볼 수 있는 표지판에는 어떤 뜻이 담겨 있을까요?

 위험한 일이 생기면 이곳을 통해 밖으로 나가요.

 여기에서는 사진을 찍으면 안 돼요.

 목이 마르면 이곳에서 물을 마실 수 있어요.

 화장실에 가고 싶을 때 이곳을 이용해요.

④ **이 글은 무엇에 대해 설명하고 있습니까?**

글의 목적

　　|　|　|　|　| 에 담긴 뜻을 설명하고 있습니다.

⑤ **다음 상황에서는 어떤 표지판이 필요한지 바르게 연결하시오.**

내용 적용

(1) 민수는 작품을 구경하다가 갑자기 화장실이 가고 싶었어요. ·

· ㉠

(2) 슬기는 작품 사진을 찍으려는 승우에게 사진을 찍으면 안 된다고 말했어요. ·

· ㉡

여러분은 피자 좋아하세요? 저는 오늘 피자에 대해 소개하려고 해요. 우리가 '피자'라고 부르는 음식은 소스가 발라진 둥근 밀가루 반죽에 채소나 고기, 치즈를 얹은 것이에요. 피자는 세계에서 가장 잘 팔리는 음식 중 하나예요.

피자는 이탈리아에서 생겨났어요. 옛날 이탈리아에서는 납작한 형태의 빵이 인기가 많았어요. 그러다가 한 요리사가 이 빵 위에 토마토와 바질, 치즈를 얹어 요리한 후, 황제 부부에게 대접한 것이 피자의 출발이 되었답니다. 이후 피자는 이탈리아 사람들이 미국으로 이민을 가면서 미국을 거쳐 전 세계로 퍼지게 되었답니다.

우리나라 음식 중에도 피자와 비슷한 음식이 있어요. 바로 파전이나 감자전이에요. 우리의 이런 음식도 충분히 세계의 많은 사람들이 즐겨 찾는 음식이 될 수 있다고 생각해요.

⑥ 이 글은 무엇에 대해 소개하고 있습니까?

글의 목적

에 대해 소개하고 있습니다.

⑦ 피자와 비슷한 우리나라 음식 중, 외국인에게 추천할 만한 것은 무엇입니까?

내용 적용

① 　② 　③

8

일의 순서

이 글에서 피자가 전 세계로 퍼지게 된 과정을 순서대로 쓰시오.

순서	피자가 전 세계로 퍼지게 된 과정
	이탈리아 사람들이 미국으로 이민을 감.
	이탈리아에서 납작한 빵이 유행함.
	요리사가 피자를 만들어 황제 부부에게 대접함.
	미국을 통해 피자가 전 세계로 퍼지게 됨.

어휘력 체크체크

밑줄 친 낱말의 알맞은 뜻을 찾아 ✔표 하시오.

1. 우리 반이 이기라고 큰 소리로 **응원**을 하였다.

① 운동 경기 등에서 선수들이 이기도록 격려함. (　　)

② 어떤 일이 잘되도록 거들거나 보탬을 주는 일. (　　)

2. 진영이는 내일 미국으로 **이민**을 간다.

① 자기 나라를 떠나 다른 나라로 옮겨가서 삶. (　　)

② 마음속으로 괴로워하며 속을 태움. (　　)

3. 엄마는 밀가루를 **반죽**해서 빵을 구웠다.

① 어떤 원인으로 마무리가 된 상태. (　　)

② 가루에 물을 부어 이겨 갬. (　　)

토론　문제 ❶～❷

반장: 이번 운동회에는 반별 장기 자랑을 해야 해요. 우리 반 모두가 함께 참여하자
　　는 데에 찬성하는 친구들이 먼저 이야기해 보세요.

민수: 저는 우리 반 전체가 참여하는 데에 찬성합니다. 운동회는 협동심을 기르는 것
　　이 목적이니까, 장기 자랑도 협동심을 기르기 위해 모두가 참여해야 합니다.

진희: 저도 찬성이에요. 만약 몇 명만 장기 자랑에 참여한다면 서로 안 하려고 할 것
　　같아요.

반장: 이번에는 반대하는 친구들 이야기를 들어볼게요.

우영: 저는 모두가 함께 참여하는 데에 반대해요. 무대에 서는 것이 부끄러운 친구도
　　있을 수 있으니까 그런 친구들을 배려해 주었으면 좋겠어요.

현주: 저도 희망하는 친구만 장기 자랑에 참여하면 좋겠어요. 장기 자랑을 하려면 연
　　습을 해야 하는데, 모든 친구들의 시간을 맞추기는 어려워요.

1 이 토론에서 찬성하는 사람과 반대하는 사람은 누구인지 쓰시오.

내용 확인

(1) 찬성하는 사람: ☐☐ , 진희

(2) 반대하는 사람: 우영, ☐☐

2 반별 장기 자랑에 모두가 함께 참여하자는 이유는 무엇입니까?

내용 파악

① 협동심을 기를 수 있기 때문이다.

② 운동회 경기에 집중해야 하기 때문이다.

③ 연습하는 시간을 맞추기는 어렵기 때문이다.

④ 무대에 서는 것이 부끄러운 친구를 배려해야 하기 때문이다.

　　여러분은 평소에 양치질을 잘하고 있나요? 양치질을 제대로 하고 싶다면 3-3-3 법칙을 기억하세요. 충치를 일으키는 균은 음식을 먹은 후 3분 동안 가장 활발하게 활동해요. 따라서 하루 3번, 식사를 한 후 3분 안에 이를 닦아야 해요. 또 음식 찌꺼기는 치아 곳곳에 끼기 때문에 3분 동안 정성 들여 이를 닦아야 해요.

　　양치질은 칫솔을 가볍게 잡고 칫솔 머리 부분을 비스듬하게 기울여서 이가 난 방향대로 부드럽게 닦는 것이 좋아요. 이때 순서를 정해서 치아의 바깥 면, 안쪽 면, 씹는 면을 모두 닦도록 해요. 그리고 간식을 먹을 때마다 양치질을 할 수 없다면 간식을 먹는 횟수를 줄이고, 먹은 후에는 물로 입안을 깨끗이 헹구는 습관을 갖도록 해요.

③ 이 글은 무엇에 대해 설명하고 있습니까?

글의 목적

			을 제대로 하는 방법

④ '3-3-3 법칙'을 알리는 광고 문구를 만들 때, 빈칸에 알맞은 숫자를 쓰시오.

내용 적용

〈양치질 3-3-3 법칙〉

하루 3번, 식사 후 3분 안에, □ 분 동안

⑤ 양치질에 대한 설명으로 맞으면 ○표, 틀리면 ×표 하시오.

내용 파악

(1) 칫솔을 힘주어 잡고 위아래로 세게 문질러 닦아요.　　　　　　　(　　　)

(2) 순서를 정해서 치아의 바깥 면, 안쪽 면, 씹는 면을 모두 닦아요.

　　　　　　　　　　　　　　　　　　　　　　　　　　　　　　　　(　　　)

(3) 간식을 먹을 때마다 양치질을 못한다면 먹는 횟수를 줄여요.　(　　　)

어느 날, 최 서방이 구두쇠 영감이 하는 국밥집 앞을 지나게 되었어요.

"킁킁, 킁킁! 아, 맛있는 국밥 냄새! 얼른 집에 가서 밥 먹어야겠다."

최 서방이 집으로 가려고 돌아섰을 때, 구두쇠 영감이 최 서방을 붙잡았어요. 구두쇠 영감은 눈을 ㉠ □□□□ 말하였어요.

"예끼, 나쁜 사람 같으니! 국밥 냄새를 맡았으면 값을 치르고 가야지."

최 서방은 기가 막혔지요. 그러다 무엇인가 생각난 듯 말하였어요.

"이리 가까이 오시오. 냄새 맡은 값을 줄 테니……."

최 서방은 돈주머니를 꺼내어 구두쇠 영감의 귀에 대고 흔들었어요.

"자, 돈주머니에서 분명히 엽전* 소리를 들었지요?"

"내가 귀머거리인 줄 아나? 틀림없이 들었네."

"그럼 됐어요."

최 서방이 말하자, 구두쇠 영감의 눈이 휘둥그레졌어요.

"뭐가 됐다는 거야? 어서 국밥 냄새 맡은 값이나 내놔."

"무슨 소리요? 엽전 소리는 공짜인 줄 아시오? 엽전 소리를 그리 오래 들었으니 냄새 맡은 값을 치르고도 남았소."

* **엽전**: 옛날에 사용하던, 놋쇠로 만든 돈.

---

⑥ 등장인물과 그 인물이 한 생각을 바르게 연결하시오.

내용 파악

(1) 구두쇠 영감 •

(2) 최 서방 •

• ㉠ 　엽전 소리는 공짜로 듣는 것이 아니다.

• ㉡ 　국밥 냄새를 맡았으면 값을 치러야 한다.

7 어휘

㉠에 들어갈 말로, '무섭고 사납게 눈을 크게 뜨고'라는 뜻을 가진 낱말을 바르게 쓴 것에 ○표 하시오.

부릅뜨고	부릎뜨고

8 내용 파악

최 서방은 '국밥 냄새'의 값을 무엇으로 치렀다고 하였습니까?

☐☐소리

어휘력 체크체크

다음 뜻을 가진 낱말에 ○표 하시오.

1. 여럿이 서로 몸과 마음을 합하여 어떤 일을 해 내는 마음.

이기심	협동심

2. 여럿이 모여서 누가 더 재주가 있는지를 겨루며 즐기는 일.

장기 자랑	노래 자랑

3. 돌아오는 차례의 수효.

횟수	숫자

중요한 낱말을 다시 한번 확인하고 □에 써 보세요.

채소 (나물 菜, 나물 蔬)	먹으려고 재배하는 풀. 예 할머니께서 텃밭에 상추, 배추 등의 [ ][ ]를 기르신다.

양분 (기를 養, 나눌 分)	영양이 되는 성분. 예 낙엽이 썩으면 나무의 [ ][ ]이 된다.

영양소 (경영할 營, 기를 養, 흴 素)	영양을 위해 생체 내에 섭취해야 하는 물질. 예 어린이는 각종 [ ][ ][ ]를 균형 있게 먹어야 한다.

발명품 (필 發, 밝을 明, 물건 品)	새로이 생각하여 만들어 낸 물품. 예 미끄럼 방지 장치가 그의 [ ][ ][ ] 중 가장 유명하다.

출발 (날 出, 필 發)	특정한 목적지나 방향을 향하여 나아감. 예 100미터 달리기는 [ ][ ]이 기록에 영향을 미친다.

양치질	이를 닦고 물로 입안을 씻는 일. 예 식사 후에는 꼭 [ ][ ][ ]을 하도록 하자.

충치 (벌레 蟲, 이 齒)	이를 구성하고 있는 조직 부분 중 단단한 부분이 깎아 들어가는 병. 예 소희는 사탕과 젤리를 많이 먹어 [ ][ ]가 생겼다.

십자말 풀이

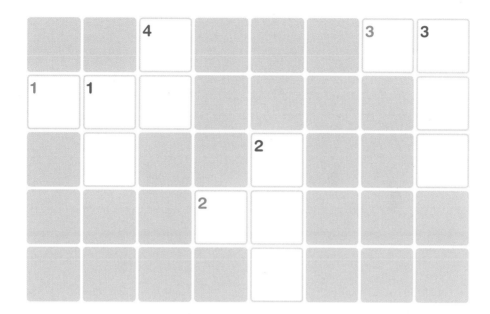

가로 열쇠

1. 영양을 위해 생체 내에 섭취해야 하는 물질.

2. 이를 구성하고 있는 조직 부분 중 단단한 부분이 깎아 들어가는 병.

3. 특정한 목적지나 방향을 향하여 나아감.

세로 열쇠

1. 영양이 되는 성분.

2. 이를 닦고 물로 입안을 씻는 일.

3. 새로이 생각하여 만들어 낸 물품.

4. 먹으려고 재배하는 풀.

16~20 일차

편지글   문제 **①~②**

영민에게

안녕, 잘 지내니?

너 혹시 이번 주 토요일에 약속 있니? 나는 아빠와 여수에 갈 건데, 그곳에 가면 캠핑을 할 수 있는 곳이 있대. 그래서 너희 아빠와 너도 같이 가면 어떨까 해서 이렇게 편지를 쓰는 거야. 너도 예전에 캠핑 가고 싶다고 했었잖아.

캠핑장에 가면 미니 축구장에서 축구도 할 수 있고, 밤이 되면 모닥불을 피워 놓고 즐거운 시간을 보낼 수도 있대. 그리고 맛있는 고기도 구워 먹고, 집에서는 할 수 없었던 요리도 직접 할 수 있게 해 주신대. 우리 함께 가서 즐겁게 놀자.

2000년 0월 0일

민수가

①
중심 내용

이 글의 중심 내용은 무엇입니까?

민수가 영민이에게 함께 ☐☐ 을 가자고 하는 내용입니다.

②
내용 적용

민수는 영민이와 캠핑을 가서 무엇을 하려고 합니까?

①    ②    ③    ④

겨울이 되어 춥고 먹을 것이 부족해지면 어떤 동물들은 겨울잠을 잡니다. 겨울잠은 추운 겨울이 되어 동물이 활동을 중단하고 땅속 같은 곳에서 겨울을 보내는 것을 말합니다. 동물들이 겨울잠을 자는 땅속이나 나무 밑은 바깥보다 따뜻하기 때문에 추운 겨울을 얼어 죽지 않고 보낼 수 있습니다.

겨울잠을 자는 동물 중 개구리는 땅속에서 겨울잠을 자는데, 봄이 될 때까지 깨지 않고 죽은 듯이 잠만 잡니다. 그리고 곰은 겨울이 되면 나무 밑의 빈 곳이나 굴속에서 겨울잠을 잡니다. 곰은 겨울잠을 잘 때 깊게 잠을 자지는 않고 중간중간 일어나서 똥, 오줌을 누거나 먹이를 먹기도 합니다.

---

❸ 이 글의 제목으로 알맞은 낱말은 무엇입니까?

글의 제목

을 자는 동물

---

❹ 겨울잠을 자는 동물과 그 특징을 알맞게 연결하시오.

내용 파악

(1) •

• ㉠ 봄이 될 때까지 깨지 않고 죽은 듯이 겨울잠만 잔다.

(2) •

• ㉡ 겨울잠을 깊게 자는 것이 아니라 중간중간 일어나 똥, 오줌을 누기도 한다.

---

❺ 이 글을 읽고 수호의 질문에 대답할 내용으로 알맞은 낱말을 빈칸에 쓰시오.

내용 적용

수호: 날씨가 추운데 동물들이 괜찮을까?

나: 동물들이 겨울잠을 자는 땅속이나 나무 밑은 ☐☐ 보다 따뜻하기 때문에 괜찮아.

관찰 날짜	20○○년 ○월 ○일	관찰 장소	집 앞
관찰 주제	보름달의 위치 변화		
관찰 대상	달이 유난히 밝은 추석 보름달		

관찰 내용

 달은 하룻밤에도 조금씩 움직인다고 배웠는데, 저녁 7시에 봤던 보름달과 밤 12시에 본 보름달은 위치가 달라져 있었습니다.

보름달은 오후 6시쯤 동쪽 하늘에서 보였는데, 서서히 남쪽 하늘을 지나 새벽 4시쯤에는 보름달이 서쪽 하늘에 있었습니다.

느낀 점

중간중간 잠에서 깨어 달을 관찰하는 것이 힘들었습니다. 하지만 위치가 달라지는 달을 보고 신기했습니다.

궁금한 점

하룻밤 사이에 보름달의 위치가 달라지는 까닭은 무엇일까요?

6

중심 내용

이 글에서 관찰한 것은 무엇입니까?

□□□ 의 위치 변화

7

내용 파악

오후 6시, 새벽 4시쯤에 보름달은 각각 어느 방향에서 관찰되었습니까?

(1) 오후 6시: □□ 하늘

(2) 새벽 4시: □□ 하늘

8 **관찰 보고서의 내용과 일치하지 <u>않는</u> 것은 무엇입니까?**

내용 적용

① 달은 하룻밤에도 조금씩 움직여요.

② 중간중간 잠에서 깨어 달을 관찰했어요.

③ 저녁 7시와 밤 12시에 봤던 보름달은 위치가 달라요.

④ 추석 저녁 동안 달의 모양 변화에 대해 관찰했어요.

어휘력 체크체크

다음 뜻을 보고 어떤 낱말인지 [보기]에서 찾아 쓰시오.

┌─ 보기 ├─────────────────────────────
  먹이   위치   캠핑
└──────────────────────────────────

1. 뜻: 천막, 텐트 따위를 치고 야외에서 먹고 잠.

예 우리는 주말마다 산으로 [ ][ ]을 간다.

2. 뜻: 사물이 일정한 곳에 자리를 차지함. 또는 그 자리.

예 우리 가게는 학교 앞에 [ ][ ]하고 있다.

3. 뜻: 동물들의 먹을거리.

예 말에게 당근을 [ ][ ]로 주었다.

설명하는 글　　문제 ❶～❸

　　우리 조상들은 눈 내리는 겨울에도 항상 잎이 푸른 소나무가 꿋꿋한 의지를 나타낸다고 여겼습니다. 뿐만 아니라 소나무는 오래 사는 나무여서 장수하는 삶을 나타낸다고도 했습니다.

　　소나무는 우리의 산과 들 어디에서나 쉽게 만날 수 있는 친근한 나무이면서, 수천 년의 힘든 시간을 이겨 낸 우리 민족을 나타내기도 합니다. 우리 조상들은 이런 소나무를 모든 나무 가운데 최고라고 여겼습니다. ㉠소나무에 대한 이런 남다른 애정은 지역 이름에서도 찾아볼 수 있습니다. 송정, 송학, 반송 등 소나무를 뜻하는 '송'자가 들어가는 지역 이름이 수백 개에 이릅니다.

1
내용 파악

다음의 소나무가 나타내는 것을 바르게 연결하시오.

(1) 항상 잎이 푸른 소나무　　•　　　　　　• ㉠ 꿋꿋한 의지

(2) 오래 사는 소나무　　　　•　　　　　　• ㉡ 장수하는 삶

2
내용 적용

㉠은 무엇을 통해 확인할 수 있습니까?

□□ 이름

3
내용 적용

다음 질문에 대한 답으로 알맞지 <u>않은</u> 것은 무엇입니까?

> 질문: 우리 조상들에게 소나무는 어떤 나무였습니까?

① 우리 민족을 나타내는 나무입니다.

② 모든 나무 가운데 최고의 나무입니다.

③ 다른 나라에서 가져온 특별한 나무입니다.

④ 어디에서나 쉽게 만날 수 있는 친근한 나무입니다.

여름 방학, 우리 반 텃밭 관리 안내

◎ **관리자**: 우리반 당번 친구들

◎ **준비물**: 〈텃밭 관리 일지〉, 연필, 모종삽

◎ **해야 할 일**

　1. 〈텃밭 관리 일지〉에 텃밭에 온 날짜와 시간, 이름을 씁니다.

　2. 텃밭 앞에 가서 혹시 있을지도 모르는 뱀에게 다른 곳으로 가라고 발소리를 쿵쿵 내 줍니다.

　3. 텃밭에 심어져 있는 토마토, 가지, 고추의 상태를 〈텃밭 관리 일지〉에 기록합니다.

　4. 호스를 연결해서 텃밭에 물을 충분히 줍니다.

내용 파악

여름 방학 동안 텃밭을 관리할 사람은 누구입니까?

우리 반 ☐☐ 친구들

일의 순서

텃밭에서 해야 할 일의 순서를 바르게 이해한 친구에게 ○표 하시오.

정민	토마토, 가지, 고추의 상태를 〈텃밭 관리 일지〉에 기록한 후에 텃밭에 물을 충분히 준다.	
수연	토마토, 가지, 고추의 상태를 〈텃밭 관리 일지〉에 기록한 후에 텃밭 앞에 가서 발소리를 쿵쿵 내 준다.	

⑥ 내용 적용

텃밭에 가지고 갈 준비물로 알맞은 것은 무엇입니까?

① 　　② 　　③

예쁜 꽃이 피었습니다.

깡충깡충.
아, 토끼야, 너였구나
내가 언덕을 만들어 줄 테니 쉬었다 가렴.

폴짝폴짝!
토끼야, 왜 그렇게 도망가니?
좀 더 놀다가 가렴.

어슬렁어슬렁
아, 호랑이야, 너였구나.
토끼를 쫓아가면 안 돼.
나랑 같이 놀자.

어흥!
아이, 깜짝이야.
어, 모두 가 버렸네.
그럼 솜사탕을 만들어야지.
커다랗고 새하얀 솜사탕,
나 혼자 다 먹을 거다.

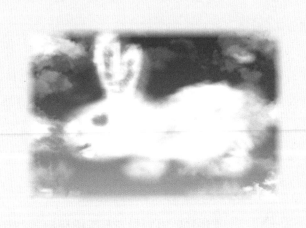

모두 다시 왔구나.
천천히 먹어.
솜사탕은 아주아주 크니까

− 구름 놀이

 **이 글에서 모양을 흉내 낸 말을 찾아 쓰시오.**

이휘

(1) 몸을 이리저리 흔들며 계속 천천히 걸어 다니는 모양을 흉내 낸 말.

→ ☐ ☐ ☐ ☐ ☐ ☐

(2) 가볍고 힘 있게 자꾸 뛰어오르는 모양을 나타내는 말.

→ ☐ ☐ ☐ ☐

8 **글쓴이는 동물들이 다시 와서 무엇을 한다고 생각했습니까?**

내용 파악

① 책을 읽어요.   ② 낚시를 해요.

③ 공놀이를 해요.   ④ 솜사탕을 먹어요.

어휘력 체크체크

밑줄 친 낱말의 알맞은 뜻을 찾아 ✔표 하시오.

1. 정우는 동화책을 끝까지 다 읽겠다는 **의지**를 보였다.

① 어떤 일을 이루려는 적극적인 마음. (   )

② 감정이나 생각, 기억 따위가 생겨나는 곳. (   )

2. 우리 집 마당 앞에는 상추, 토마토를 심은 **텃밭**이 있다.

① 집의 울타리 안에 있거나 집 가까이 있는 밭. (   )

② 물을 대지 않고 작물을 심어 가꾸는 땅. (   )

소개문   문제 ❶∼❷

오늘은 설악산에 있는 '울산바위'에 전해 내려오는 전설을 소개할게요.

옛날에 금강산을 만들던 산신령은 1만 2천 개의 봉우리를 모두 나르게 만들면 아름다울 것이라고 생각했어요. 그래서 전국의 산에게 큰 바위를 찾아 모두 금강산으로 보내라고 명령을 내렸어요. 울산땅의 큰 바위도 금강산 가는 길에 올랐지만, 하루 만에 금강산에 도착할 수 없어 설악산에서 하룻밤 쉬어가기로 했어요. 다음날 아침 금강산으로 떠나려는데, 산신령의 신하가 와서 금강산 1만 2천 봉우리를 다 채웠다는 소식을 전했어요. 바위가 속상해 엉엉 울자 산신령의 신하는 울산땅보다 설악산이 나으니 그냥 여기에 머무는 것이 어떻겠냐고 말했어요. 이 말을 들은 바위는 설악산에 머물러 있기로 했고, 이후 '울산바위'라고 불리게 되었답니다.

1 이 글에서 소개하고 있는 것은 무엇입니까?

중심 내용

에 얽힌 전설입니다.

2 '울산바위'는 왜 금강산의 1만 2천 봉우리가 되지 못했습니까?

내용 적용

① 큰 바위가 아니라서 금강산 신령이 중간에 울산으로 돌려 보냈어요.

② 설악산의 경치가 좋아서 구경하다가 설악산에 머무르기로 했어요.

③ 설악산에서 하룻밤 쉬어가는 바람에 금강산 봉우리가 다 채워졌어요.

④ 금강산보다 울산땅이 더 좋다고 해서 금강산으로 출발하지 않았어요.

우리 조상들은 '5'가 두 번 겹치는 음력 5월 5일 '단오'를 만물이 살아 움직이는 기운이 가장 왕성한 날이라고 여겼어요. 단오는 '수릿날'이라고도 불러요. '수리'는 수레를 뜻하는 말로, 이날은 '수리취'라는 나물과 쌀가루를 섞어 반죽하여 수레바퀴 모양의 '수리취떡'을 만들어 먹었어요. 단오에는 부채를 선물하기도 했는데, 단오가 지나면 곧 여름 더위가 시작되기 때문에 미리 부채를 선물한 거래요.

단오가 되면 여자들은 창포 삶은 물로 머리를 감았어요. 그렇게 하면 머리카락도 잘 안 빠지고, 나쁜 귀신을 몰아낼 수 있다고 믿었거든요. 그리고 남자들은 이웃 마을 사람들과 서로 힘을 자랑하며 씨름판을 벌였답니다.

❸ 이 글의 제목으로 가장 알맞은 것은 무엇입니까?

글의 제목

① 수릿날이라고도 부르는 단오

② 수레바퀴를 만드는 날, 단오

③ 나물 무침을 만들어 먹는, 단오

④ '5'가 두 번 겹친 날, 5월 15일 단오

❹ 다음 밑줄 친 '이것'은 각각 무엇인지 쓰시오.

문법 지식

(1) ☐☐☐떡

(2) ☐☐

(3) ☐☐

수리취를 쌀가루와 섞어 반죽해서 수레바퀴 모양의 <u>이것</u>을 만들어 먹기도 했어요.

<u>이것</u> 삶은 물로 머리를 감으면 머리카락도 잘 안 빠져요.

단오가 지나면 곧 여름 더위가 시작되기 때문에 미리 <u>이것</u>을 선물한 거래요.

　　물건을 빌려가서 돌려주지 않기도 하고, 도서관에서 책을 빌리고는 정해진 날짜에 반납하지 않는 등 약속을 잘 지키지 않는 친구들이 많다. 그러나 약속은 아무리 사소한 것이어도 반드시 지켜야 한다.

　　약속을 지키지 않으면 첫째, 다른 친구에게 ㉠□□를 줄 수 있다. 나와의 약속을 위해 그 친구는 어떤 일을 취소하거나 미루었을 수 있다. 그런데 내가 약속을 어기면 그 친구는 해야 할 일을 하지 못하게 되는 것이다. 둘째, 친구들이 나를 믿지 않게 된다. 약속을 어기면 친구들은 앞으로 내가 어떤 약속을 해도 믿지 않을 것이다. 셋째, 사회가 어지럽고 혼란스러워질 수 있다. 그 약속이 사회 규칙인 경우, 약속을 지키지 않는 사람이 많아지면 질서가 무너지게 된다.

　　따라서 우리는 약속을 잘 지켜야 한다. 만약 갑자기 아프거나 하는 상황이 생겨 약속을 지킬 수 없다면, 상대방에게 그 사실을 알리고 ㉡□□를 구해야 한다.

5

글의 주장

이 글에서 주장하고 있는 것은 무엇입니까?

□□은 반드시 지켜야 한다.

6

어휘

㉠과 ㉡에 들어갈 알맞은 낱말을 [보기]에서 찾아 쓰시오.

　　┤ 보기 ├
　　양해: 남의 사정을 잘 헤아려 너그러이 받아들임.
　　피해: 생명이나 신체, 재산 따위에 손해를 입음.

㉠ □□　　　　　　　　㉡ □□

7 이 글의 주장을 예를 들어 설명한 것으로 가장 알맞은 것은 무엇입니까?

추론

① 싹꿍의 지우개를 말하시 않고 빌려 갔나.

② 엄마가 싸 준 간식을 친구와 나눠 먹지 않았다.

③ 등교 시간보다 한 시간이나 일찍 학교에 도착했다.

④ 아파서 약속을 못 지키게 되어 이를 친구에게 알리고 양해를 구했다.

다음 뜻을 가진 낱말에 ○표 하시오.

1. 뜻: 오래전부터 전하여 내려오는 말이나 이야기.

전설	소설

2. 뜻: 보잘것없이 작거나 적다.

소중하다	사소하다

3. 뜻: 빌리거나 받은 것을 도로 돌려줌.

반납	대출

설명하는 글   문제 ❶~❷

요즘은 동물을 기르는 가정이 늘고 있지만, 그만큼 주인의 애정 부족이나 경제적인 이유로 버림받는 동물도 많아지고 있어요. 그래서 이런 동물들을 보호하고 관리하는 일이 점점 중요해지고 있어요.

텔레비전에서 괴롭힘을 당하는 동물을 보거나, 길에서 주인 없이 버려진 동물을 본 적이 있을 거예요. 이렇게 위험에 처한 동물들을 구조하고 보호하는 것이 동물 보호 보안관의 역할이에요.

동물 보호 보안관은 동물을 아무렇게 내버려두거나 괴롭힌다는 신고가 있으면 출동해서 동물을 구조해요. 또 동물을 잘 돌볼 수 있도록 가족들에게 도움을 주기도 해요. 그리고 어떤 때에는 동물을 괴롭히는 주인에게 경고를 하거나 처벌을 받게 하기도 해요.

❶ **이 글에서 설명하고 있는 내용은 무엇입니까?**

중심 내용

동물 보호 ☐☐☐ 의 역할

❷ **동물 보호 보안관의 일이 아닌 것은 무엇입니까?**

내용 파악

① 주인 없이 길에 버려진 동물들을 구조해요.
② 가족들이 동물을 잘 돌볼 수 있도록 도움을 줘요.
③ 동물을 괴롭히는 주인에게 처벌을 받게 해요.
④ 동물을 키우고자 하는 가족에게 동물을 데려다 줘요.

제3회 착한시 도서관 일일장터

착한시 도서관에서 열리는 일일장터를 안내합니다.

집에서 잘 쓰지 않는 장난감이나 다 읽은 책을 가지고 오시면 다른 장난감이나 책으로 바꿀 수 있습니다. 다른 물건으로 바꾸는 대신 기증하실 수도 있습니다. 기증하신 물건은 어려운 이웃에게 나눠 줄 예정입니다.

♣ 일일장터 여는 날: 12월 2일(토) 14:00~17:00
♣ 물품 접수 기간: 11월 20일(화)~12월 1일(금)
♣ 물품 접수 방법: 도서관으로 직접 물품을 가져다주세요.
♣ 유의 사항: 고장난 장난감이나 찢어진 책은 받지 않습니다.
♣ 전화 문의: 착한시 도서관 ☎ 123-4567

내용 적용

이 글을 읽고 친구에게 바르게 안내한 내용은 무엇입니까?

① 집에 있는 장난감 중에 고장난 것도 기증할 수 있어.
② 우리가 가져간 장난감이나 책을 팔아 돈을 받을 수 있어.
③ 장난감이나 책을 기증하면 어려운 이웃에게 도움이 될 거야.
④ 집에 물건이 많이 있을 때는 도서관에 전화하면 가지러 온대.

어휘

이 글에서 '돈이나 물품 따위를 남을 위해 그냥 줌.'이라는 뜻의 낱말을 찾아 빈칸에 쓰시오.

할머니는 평생 동안 힘들게 모은 재산을 어려운 이웃에게 ☐☐ 했다.

길에서 어른을 만나면 두 손을 모으고

"안녕하세요?"

예쁘게 인사하라고?

싫어 싫어. 내 마음이야. 나는 이렇게 인사할 거야.

까웅! 까웅!

엄마가 맛있는 간식을 주면 냠냠 먹기 전에

"잘 먹겠습니다!"

예쁘게 인사하라고?

싫어 싫어. 내 마음이야. 나는 이렇게 인사할 거야.

어흥! 어흥!

그런데 저게 뭐야? 괴물인가?

깜짝 놀라 나도 모르게……

"안녕하세요? 난 솔이예요."

"안녕하세요? 난 호미예요."

"이 빵 먹을래요?"

"잘 먹겠습니다!"

"이 사과 먹을래요?"

"잘 먹겠습니다!"

예쁘게 인사했더니 ㉠ ☐☐☐☐ 기분이 참 좋아요.

- 인사할까, 말까? _ 하은미

5

어휘

㉠에 들어갈 말로, '눈과 입을 살며시 움직이며 소리 없이 정답게 자꾸 웃는 모양.' 이라는 뜻을 가진 낱말을 바르게 쓴 것에 ○표 하시오.

생글생글	셍글셍글

6 이 글에서 솔이와 호미는 마음대로 인사를 하고 있습니다. 어떻게 인사를 해야 하는지 바르게 쓰시오.

내용 적용

상황	마음대로 하는 인사	바르게 하는 인사
(1) 길에서 어른을 만나면	까꿍! 까꿍!	
(2) 엄마가 맛있는 간식을 주면	어흥! 어흥!	

7 솔이와 호미는 왜 기분이 좋아졌습니까?

중심 내용

☐☐ 를 예쁘게 잘 했기 때문입니다.

어휘력 체크체크

다음 뜻을 보고 어떤 낱말인지 [보기]에서 찾아 쓰시오.

┌ 보기 ┐

역할 　 이웃

1. 뜻: 일정한 자격으로 자신이 해야 할 맡은 바의 일.

예 선생님께서 맡은 ☐☐ 에 최선을 다하라고 하셨다.

2. 뜻: 서로 가까이에 인접하여 사는 집.

예 우리는 ☐☐ 끼리 친하게 지낸다.

기행문   문제 ①~②

우리 가족은 제주도로 여행을 다녀왔다. 공항에서 호텔로 가기 위해 차를 타고 해안도로를 달렸다. 바람도 시원하고 바다의 파란색이 너무 예뻐서 우리는 잠시 차에서 내려 사진을 찍었다.

첫째 날 찾아간 곳은 이중섭 미술관이었다. 아빠는 이중섭 화가가 매우 유명한 분이라고 알려 주셨다. 미술관에는 소를 그린 그림이 많았는데, 그림 속의 소가 살아서 뛰쳐나올 것만 같았다.

둘째 날은 여미지 식물원에 갔다. 식물원에는 여러 가지 꽃과 화초들이 있었고, 분수도 있었다. 그곳에 있으니 숲 한가운데에 내가 서 있는 느낌이 들었고, 건강해지는 것 같았다.

마지막 날 여행을 마치고 돌아오는 길에 나는 제주도에서 살고 싶다는 생각을 했다. 자연과 바다가 예쁜 제주도는 참 아름다운 섬인 것 같다.

1

핵심어

우리 가족은 어디로 여행을 다녀왔습니까?

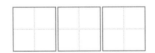

2

내용 적용

여행을 하며 보고 듣거나 느낀 점이 <u>아닌</u> 것은 무엇입니까?

① 해안도로를 달리며 본 바다의 색은 차갑고 무서웠다.

② 아빠는 이중섭 화가가 매우 유명한 분이라고 하셨다.

③ 식물원에는 여러 가지 꽃과 화초들이 있었고, 분수도 있었다.

④ 이중섭 미술관에서 본 그림 속의 소가 뛰쳐나올 것 같았다.

ㅗ○○○년 ○월 ○일, 날씨 맑음

기다리던 토요일 아침이다. 엄마는 내가 좋아하는 김밥과 동생이 좋아하는 샌드위치를 도시락으로 준비하셨다. 드디어 놀이공원으로 출발! 나는 회전목마를 탈 생각에 마음이 두근두근 설렜다.

놀이공원에 도착하자마자 나는 회전목마로 달려갔다. 엄마와 나는 말 등에, 동생과 아버지는 마차에 탔다. 처음에는 말이 오르락내리락 움직이는 게 무서웠지만, 시간이 지나자 무척 재미있었다.

회전목마를 타고 나서 도시락을 맛있게 먹고 나니 솜사탕을 먹고 있는 친구들이 보였다. 구름같이 부드러운 솜사탕을 먹는 친구들이 부러웠다. 내 마음을 아셨는지 엄마가 솜사탕을 사 주셨다. 솜사탕이 내 마음만큼이나 달콤했다.

❸ ‘나’가 놀이공원에서 느낀 기분을 [보기]에서 찾아 쓰시오.

내용 적용

> **보기**
>
> 무서웠다.　　　부러웠다.　　　설렜다.

(1) 회전목마를 탈 생각을 하니 　□□□ .

(2) 말이 오르락내리락 움직이니 처음에는 　□□□□ .

(3) 솜사탕을 먹고 있는 친구들을 보니 　□□□□ .

❹ ‘나’가 놀이공원에서 먹은 음식이 <u>아닌</u> 것은 무엇입니까?

내용 적용

① 　　② 　　③

우리를 하나 되게 만든 가을 운동회

　20○○년 ○월 ○일 금요일, ○○초등학교 운동장에서 가을 운동회가 열렸다. 이 운동회는 학생들이 협동심을 기르고 어른을 공경하는 마음을 갖도록 하기 위해 학생과 학부모들이 함께 마련한 것이다.

　가을 운동회는 1부와 2부로 나누어 진행되었다. 먼저 1부에는 단체 줄다리기와 공굴리기가 있었다. 학생과 학부모, 마을 사람들이 함께 청군, 백군으로 나누어 경기를 치렀다. 줄다리기는 청군이, 공굴리기는 백군이 승리하

였다. 학생과 학부모, 마을 사람들 모두가 함께 경기하며 즐거운 시간을 보냈다. 2부에서는 마을의 할머니, 할아버지께 맛있는 음식을 대접했다. 할머니, 할아버지께서는 학생과 학부모가 준비한 음식을 맛있게 드시며 서로가 더 친해지는 시간을 가졌다.

○○일보 김수미 기자

---

❺ 이 기사문에 사진을 함께 넣을 때, 어울리는 사진이 <u>아닌</u> 것은 무엇입니까?

내용 적용

① 줄다리기를 하는 사진

② 공굴리기를 하는 사진

③ 다친 학생이 상처를 치료받는 사진

④ 할머니, 할아버지께서 음식을 드시는 사진

6 이 글에서 일어난 일을 이해하기 쉽도록 빈칸을 완성하시오.

내용 파악

누가	(1) ☐☐과 학부모들이
언제	20○○년 ○월 ○일 금요일에
어디서	○○초등학교 운동장에서
무엇을	(2) 가을 ☐☐☐를
어떻게	1부와 2부로 나누어서
왜	학생들이 협동심을 기르고, 어른을 공경하는 마음을 갖게 하기 위해서

밑줄 친 낱말의 알맞은 뜻을 찾아 ✔표 하시오.

1. 수영이의 의견을 듣고 회의의 진행이 중단되었다.

① 어떤 일 따위를 처리하여 나감. ( )

② 일이나 행동, 말 따위를 도중에 멈거나 그만 둠. ( )

2. 단체로 표를 구입하면 조금 싸게 살 수 있다.

① 여러 사람이 모여서 이루어진 집단. ( )

② 국가나 사회, 단체 등을 구성하는 낱낱의 사람. ( )

중요한 낱말을 다시 한번 확인하고 □에 써 보세요.

모닥불	장작이나 나뭇가지, 검불 등을 쌓아 놓고 피우는 불. 예 우리는 　　　　　　 주변에 모여 앉았다.

만물 (일만 萬, 물건 物)	세상에 있는 갖가지 모든 것. 예 밤이 되니 　　　　 이 조용한 듯하다.

왕성 (왕성할 旺, 성할 盛)	어떤 일이 매우 활발하게 이루어짐. 예 줄기가 　　　　 하게 뻗어 올랐다.

구조 (건질 救, 도울 助)	재난을 당하여 위기에 빠진 사람을 구해 줌. 예 소방관들이 신속한 　　　　 활동을 벌였다.

마련	준비하거나 헤아려 갖춤. 예 오늘 생일을 축하하기 위해 선물을 　　　　 했다.

물품 (물건 物, 물건 品)	어떤 용도에 필요하고 쓸모 있게 만들어진 물건. 예 재영이는 일일장터에 　　　　 을 접수하였다.

공경 (공손할 恭, 공경 敬)	공손히 받들어 모심. 예 할아버지께서 요즘 아이들은 어른을 　　　　 할 줄도 모른다며 안타까워하셨다.

어휘력 쑥쑥 테스트

[01~02] 다음 빈칸에 들어갈 낱말을 바르게 연결하시오.

01 캠핑 마지막날 ☐☐☐ 을 피웠다.   •   • 물품

02 그 시장은 좋은 ☐☐ 이 많다.   •   • 모닥불

[03~05] 다음의 뜻에 알맞은 낱말을 [보기]에서 찾아 쓰시오.

> | 보기
>
> 마련   구조   공경

03 공손히 받들어 모심.   ☐☐

04 준비하거나 헤아려 갖춤.   ☐☐

05 재난을 당하여 위기에 빠진 사람을 구해 줌.   ☐☐

[06~07] 다음의 뜻이 맞으면 ○표, 틀리면 ×표를 하시오.

06 '만물'은 '세상에 있는 갖가지 모든 것.'이라는 뜻이다.   (   )

07 '왕성'은 '내용이 충실하고 실속이 있음.'이라는 뜻이다.   (   )

21~25 일차

설명하는 글 　문제 ❶~❷

최근 동해 바다에서 죽은 채 발견된 바다거북의 뱃속에서는 낚싯줄, 폐비닐, 사탕 봉지가 나왔습니다. 왜 바다거북의 뱃속에서 인간이 버린 쓰레기가 있었을까요?

인간에게 편리한 플라스틱은 바다로 흘러들어가 바다를 병들게 합니다. 바다거북을 비롯한 바다 생물들은 플라스틱을 먹이로 착각하여 먹고, 버린 그물들은 덫으로 변하여 바다 생물을 위험하게 합니다.

인간을 비롯한 지구의 많은 동식물들은 바다가 주는 행복을 누리며 살고 있습니다. 바다는 먹을 것뿐만 아니라 자연이 숨 쉴 수 있는 산소를 만들고, 석유 자원 등을 우리에게 베풀어 줍니다. 하지만 한없이 베풀기만 할 것 같던 바다가 지금 심각하게 병들고 있습니다.

1 죽은 바다거북의 뱃속에서 발견된 오염 물질에 ○표 하시오.

내용 파악

> 낚싯줄, 햄, 폐비닐, 물고기, 사탕 봉지, 미역

2 이 글에서 '죽은 바다거북'을 통해 말하려고 하는 것은 무엇입니까?

추론

① 바다가 심각하게 병들어 가고 있습니다.
② 바다의 무한한 자원이 사라지고 있습니다.
③ 바다에서 다친 동물은 치료할 수가 없습니다.
④ 그물 사용은 바다 생물들에게 위험할 수 있습니다.

2○○○년 ○월 ○일, 날씨 흐림

오늘은 엄마, 아빠와 뒷산에 올라갔다. 나는 늘 보이는 산이라 특별한 것이 없을 거란 생각에 툴툴거리며 산을 올랐다. 뒷산을 오르는 길 주위에 농사를 짓는 분들이 보였는데, 산에서도 농사를 짓는 모습이 신기했다. 엄마는 산은 계절이 바뀔 때마다 다르게 보인다고 말씀하셨다. 그러고 보니 우리나라는 사계절이 있어서 계절에 따라 완전히 다른 아름다움이 있다는 생각이 들었다. 정상을 올랐다 내려가는 길에 들국화를 보았다. 들국화 향이 진하고 좋았다. 엄마가 말씀하셨던 가을의 향기가 이런 것이구나 하는 생각이 들었다. 이번에 뒷산을 오른 것은 가을을 느낄 수 있어 행복했다. 그리고 엄마를 따라 또 올라오고 싶다는 생각을 했다.

③ 이 글은 어떤 글입니까?

글의 종류

뒷산을 오른 경험을 쓴 [ ][ ] 입니다.

④ '나'는 누구와 어디에 다녀왔습니까?

내용 파악

(1) 누구와: [ ][ ] , 아빠

(2) 어디에: [ ][ ]

⑤ 뒷산을 오르면서 '나'가 한 생각이 <u>아닌</u> 것은 무엇입니까?

내용 파악

① 산에서도 농사를 짓는 모습이 신기했다.

② 엄마를 따라 뒷산에 또 올라오고 싶다.

③ 우리나라는 사계절이 있어서 아름답다.

④ 엄마가 말씀하신 가을의 향기가 무엇인지 모르겠다.

책을 빌리기 위해 동네 도서관에 갔는데, 그곳에는 기본적인 예절을 지키지 않는 사람들이 너무 많았습니다.

도서관에서 과자를 먹거나 옆 사람과 이야기를 나누는 친구들이 있었습니다. 과자를 씹는 소리는 시끄러울 수 있고, 그 냄새는 옆 사람에게 불쾌감을 줄 수 있습니다. 그리고 책을 읽는 사람에게 방해가 되기 때문에 옆 사람과 말을 해서는 안 됩니다. 물론 휴대 전화로 통화하는 것도 안 됩니다. 도서관 안에서는 진동으로 하거나 꺼 두어야 하고, 통화는 밖에 나가서 해야 합니다. 이번에는 책을 한 권 펴 보았더니 낙서와 밑줄이 있었습니다. 도서관의 책은 여러 사람이 함께 이용하는 것이므로 마음대로 줄을 긋거나 낙서를 해서는 안 됩니다.

도서관은 혼자만의 공간이 아니며, 책 역시 모두가 함께 보는 것입니다. 따라서 도서관을 이용할 때에는 예절을 갖추고, 책을 소중하게 다루어야 합니다.

⑥ 이 글에서 글쓴이가 느낀 문제점은 무엇입니까?

중심 내용

도시관에서 □□ 을 지키지 않는 사람이 너무 많다.

7 도서관에서 지켜야 할 예절을 정리하여 안내문을 만들 때, 알맞지 <u>않은</u> 내용은 무 엇입니까?

내용 적용

도서관에서 예절을 지킵시다!

① 도서관 안에서는 이야기하지 마세요.

② 책에 낙서를 하거나 밑줄을 긋지 마세요.

③ 책을 읽으며 먹은 과자의 빈 봉지는 쓰레기통에 버려 주세요.

④ 휴대 전화는 진동으로 하거나 끄고, 통화는 밖에서 해 주세요.

다음 뜻을 가진 낱말에 ○표 하시오.

1. 어떤 사물이나 사실을 실제와 다르게 잘못 느끼거나 앎.

착각	소각

2. 봄, 여름, 가을, 겨울의 네 계절을 아울러 이르는 말.

사각형	사계절

3. 맨 위 꼭대기.

정상	상상

대화　문제 ①~③

> 할머니: 오늘은 일 년 중 밤이 가장 긴 동지니까 팥죽을 먹어야겠구나.
>
> 정수: 동지에는 왜 팥죽을 먹어요?
>
> 할머니: 우리 조상들은 팥의 붉은색이 나쁜 일이나 귀신, 병을 쫓는다고 생각했지. 그래서 동짓날 팥 끓인 물을 대문에 뿌리기도 하고, 병이 나면 팥죽을 쑤어 길에 뿌리기도 했어. 또 이사를 하면 팥죽을 쑤어 집 안팎에 뿌리고 이웃과 나누어 먹기도 했단다.
>
> 정수: 아, 그렇군요.
>
> 할머니: 또 팥죽에는 몸에 좋은 영양소가 많이 들어 있어 몸도 튼튼해지지.
>
> 정수: 진짜요? 오늘 팥죽을 많이 먹어야겠어요.

1

중심 내용

이 글의 중심 내용은 무엇입니까?

동지에 　　　　을 먹는 이유

2

내용 파악

우리 조상들의 팥죽과 관련된 풍습으로 알맞은 것은 무엇입니까?

① 팥을 끓인 물을 식혀 세수를 했어요.

② 팥죽에 넣는 새알심을 건져 땅에 뿌렸어요.

③ 이사를 하면 팥죽을 쑤어 나누어 먹기도 했어요.

④ 병이 나면 팥죽을 쑤어 집안 곳곳에 놓아두었어요.

3

내용 파악

이 글에서 말한 팥죽의 좋은 점으로 알맞은 것에 ○표 하시오.

(1) 팥의 붉은색이 복을 불러 운이 좋게 해 준다. 　　　

(2) 팥죽에는 몸에 좋은 영양소가 많이 들어 있다.

저축을 할 때는 저축 계획을 세우는 것이 좋습니다. 저축 계획을 세우기 위해 가장 먼저 해야 할 일은 저축 금액을 정하는 것입니다. 자신이 가지고 있는 돈과 용돈의 액수가 얼마인지, 또 얼마 만에 한 번씩 용돈을 받는지도 생각해서 저축이 가능한 금액을 정하는 것이 좋습니다.

그리고 통장을 만들어야 합니다. 통장을 만들기 위해서는 부모님과 함께 은행에 가야 하는데, 부모님 신분증, 주민등록등본, 도장을 가져가야 합니다. 자기 이름으로 된 도장이 없을 때에는 부모님 도장을 가져가도 됩니다. 통장 비밀번호는 남들이 쉽게 알아내지 못하도록 연속된 숫자나 생년월일 등은 피하는 것이 좋습니다.

④ 저축 금액을 정할 때, 생각해야 할 것을 모두 골라 ○표 하시오.

내용 적용

(1) 내가 현재 가지고 있는 돈은 얼마인가?

(2) 나는 얼마 만에 한 번씩 용돈을 받는가?

(3) 가장 빨리, 많이 저축하려면 얼마를 저축해야 하는가?

⑤ 통장을 만드는 방법으로 알맞은 것은 무엇입니까?

추론

① 부모님은 주민등록등본만 가져가면 됩니다.

② 혼자 은행에 가면 예금 통장을 만들 수 있습니다.

③ 비밀 번호는 잊어버리지 않도록 생년월일로 하면 좋습니다.

④ 자신의 도장이 없을 때에는 부모님 도장을 가져가도 됩니다.

1423년, 세종은 노비였지만 머리와 손재주가 좋은 장영실의 실력을 알아보았습니다. 그래서 노비에게 벼슬을* 줄 수 없다던 신하들을 달래 장영실에게 벼슬을 내렸습니다. 이로 인해 장영실은 마음껏 그의 재능을 펼칠 수 있게 되었습니다.

장영실은 세종의 뜻에 감사해 하며 과학 연구와 발명에 힘을 쏟았습니다. 그러던 어느 날, 장영실은 초저녁에 본 별들이 조금씩 자리를 옮기는 것을 보고 날마다 밤하늘의 별을 관찰했습니다. 몇 번의 실패 끝에 별을 관찰하는 도구인 '간의'라는 관측기를 만들었습니다. 또한 장영실은 백성들의 농사를 돕기 위해 비의 양을 정확히 잴 수 있는 도구를 만들기도 했습니다. 그는 많은 연구 끝에 빗물의 양을 잴 수 있는 '측우기'를 발명했습니다.

이 외에도 장영실은 수많은 과학 도구를 발명하였고, 그가 남긴 과학적 업적은* 지금까지도 이어지고 있습니다.

[측우기]

* **벼슬:** 예전에, 관청에 나가서 나랏일을 맡아 다스리는 자리나 그 일을 이르던 말.

* **업적:** 일이나 사업에서 이룬 성과.

6 이 글은 누구에 대해 쓴 글입니까?

핵심어

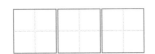

7 다음 설명에 해당하는 과학 도구를 바르게 연결하시오.

중심 내용

(1) 별을 관찰할 수 있다. •

(2) 비의 양을 잴 수 있다. •

• ㉠ 측우기

• ㉡ 간의

8 장영실이 과학 연구와 발명에 힘을 쏟은 이유는 무엇입니까?

내용 파악

① 세종대왕이 시켰기 때문입니다.

② 많은 돈을 벌 수 있었기 때문입니다.

③ 높은 벼슬을 받을 수 있었기 때문입니다.

④ 벼슬을 내려 준 세종대왕에게 감사했기 때문입니다.

어휘력 체크체크

다음 뜻을 보고 어떤 낱말인지 [보기]에서 찾아 쓰시오.

> | 보기 |
>
> 저축   이사   재능

1. 뜻: 사는 곳을 옮김.

예 내가 두 살 때 이 집으로 ☐☐를 왔다.

2. 뜻: 아껴 모이 둠.

예 아영이는 은행에 가서 용돈을 ☐☐하였다.

3. 뜻: 재주와 능력을 아울러 이르는 말.

예 광수는 예술가의 ☐☐을 지녔다.

일기   문제 **1~3**

ㄴ○○○년 ○월 ○일, 날씨 맑음

오늘 나는 엄마와 함께 대구에 있는 이모네에 가기 위해 기차를 탔다. 기차는 처음에는 천천히, 조금 지나자 빠르게 달려갔다. ㉠☐☐☐ 길가에 서 있는 나무도, 멀리 보이는 산도 나와 같이 빠르게 달리는 것처럼 보였다.

나는 이모네 가는 길에 있는 산, 꽃, 새들과 인사를 나누고 싶은데, 기차가 너무 빨라 내가 하는 인사를 보지 못할 것 같았다. 우리 집으로 돌아갈 때에는 산, 꽃, 새들과 반갑게 인사할 수 있도록 기차가 천천히 갔으면 좋겠다.

1

내용 파악

'나'는 기차 안에서 무엇을 하고 싶었습니까?

①   ②   ③

2

접속어

㉠에 들어갈 알맞은 낱말은 무엇입니까?

① 그러자   ② 그래도   ③ 그러나   ④ 그런데

3

추론

'나'에게 나무와 산이 빠르게 달리는 것처럼 보인 이유는 무엇입니까?

① 나무와 산이 사라져 버려서

② 내가 탄 기차가 빠르게 달려서

③ 나무와 산이 너무 멀리 있어서

④ 기차가 더 이상 달리지 않아서

우주에도 쓰레기가 있을까요? 당연히 있습니다. 우주 쓰레기에는 수명이 다한 인공위성이나 로켓의 빈 연료 탱크, 우주 비행사들이 떨어뜨린 생활 쓰레기 등이 있습니다. 이런 쓰레기들은 우주 공간을 떠돌고 있습니다.

넓은 우주 공간에 쓰레기가 조금 있다고 무슨 문제가 되겠냐고 생각하면 큰 잘못입니다. 우주 쓰레기는 우주에서 엄청난 속도로 떠돌고 있습니다. 그래서 인공위성이나 우주선에서 작은 부품이라도 하나 떨어져 서로 부딪히면 큰 폭발이 일어납니다.

우주 쓰레기는 우리의 일상생활에도 영향을 줍니다. 우주 쓰레기는 통신 위성에 영향을 주어 휴대 전화와 같은 전자 기기를 사용하는 데 장애를 일으키기도 합니다. 이런 문제 때문에 거대한 풍선을 이용해 우주 쓰레기를 처리하는 방법이 제시되었지만, 기술 부족으로 실제로 이루어지지는 못했습니다.

---

④ 이 글의 제목을 정할 때, 빈칸에 들어갈 낱말은 무엇입니까?

글의 제목

우주 공간과 일상생활에 영향을 주는 ☐☐ 쓰레기

---

⑤ 다음 중에서 우주 쓰레기를 모두 고르시오.

내용 파악

① 수명이 다한 인공위성 ② 우주 정거장

③ 로켓의 빈 연료 탱크 ④ 우주선

---

⑥ 우주 쓰레기에 대한 설명으로 알맞은 것은 무엇입니까?

내용 파악

① 우주 쓰레기는 일상생활에 영향을 주지 않습니다.

② 쓰레기를 처리하는 데 가장 큰 문제는 비싼 처리 비용입니다.

③ 통신 위성에 영향을 주어 전자 기기 사용에 장애를 일으킵니다.

④ 쓰레기를 처리하기 위한 많은 방법들이 실제로 성공하였습니다.

회장: 급식실에서 새치기하거나 음식을 먹고 난 뒤 식탁을 제대로 정리하지 않아 많은 친구들이 불만을 이야기하고 있습니다. 오늘은 이 문제의 해결 방법에 대해 토의해 보겠습니다.

영지: 다른 반 친구들이랑 섞여서 줄을 서다 보니, 같은 반 친구와 밥을 먹기 위해 새치기를 하는 것 같아요. 반별로 줄을 서는 건 어떨까요?

민수: 좋아요. 하지만 우선은 새치기가 나쁜 행동이라는 것을 알려야 해요. 몇 명씩 조를 짜서 지킴이 활동을 하는 것도 괜찮을 것 같아요.

회장: 좋은 의견이에요. 그럼 반별로 줄을 서고, 조를 정해 지킴이 활동을 하는 것으로 하겠습니다. 식탁 정리는 어떻게 할까요?

정연: 밥을 먹다가 흘린 음식을 닦지 않으면 뒤에 먹는 친구들은 불쾌감을 느낄 수밖에 없어요. 흘린 음식을 바로 닦을 수 있게 식탁 위에 휴지를 마련해 두면 좋겠어요.

영지: 맞아요. 자기가 흘린 음식은 자기 스스로 치우는 습관을 키워야 해요.

 이 글에서 문제 해결 방법을 찾기 위해 무엇을 하고 있습니까?

글의 종류
　① 토론
　② 토의
　③ 협상
　③ 회담

8 이 글에서 말한 문제점과 해결 방법을 알맞게 완성하시오.

중심 내용

문제점	해결 방법
새치기를 하는 친구들이 있어요.	(1) ☐☐로 줄을 서자. (2) 새치기는 나쁜 행동이라는 것을 알리고 조를 짜서 ☐☐☐ 활동을 하자.
식탁 위를 제대로 정리하지 않아요.	(3) 식탁 위에 ☐☐를 마련해 두자. (4) 자기 스스로 치우는 ☐☐을 키우자.

밑줄 친 낱말의 알맞은 뜻을 찾아 ✔표 하시오.

1. 현대 의학의 발전은 인간의 **수명**을 연장시키고 있다.

① 생물의 목숨. (   )

② 좋은 운수. (   )

2. 과학자들은 **우주**에 갈 수 있는 우주선을 만든다.

① 인류가 살고 있는 공산. (   )

② 지구를 둘러싸고 있는 대기의 층 밖의 공간. (   )

3. 아직 방 **정리**가 덜 되어서 그 책을 찾을 수가 없다.

① 물건이 고장나거나 허름한 데를 손보아 고침. (   )

② 어수선한 것을 한데 모아 질서 있는 상태가 되게 함. (   )

설명하는 글 문제 ❶~❸

머리를 풀고 하늘로 올라가는 것은 무엇일까요? 답은 '연기'입니다. 이처럼 어떤 사물에 대하여 바로 말하지 않고, 특징을 빗대어 말하며 알아맞히는 놀이를 '수수께끼'라고 합니다.

옛날부터 지금까지도 만들어지고 있는 수수께끼는 '가리면 보이고, 안 가리면 안 보이는 것'과 같이 논리적으로 말이 안 되는 것처럼 표현되는 경우가 많습니다. 하지만 '안경'이 답이라는 것을 알고 나면 고개를 끄덕이며 답을 받아들이게 됩니다. 그래서 논리적으로 말이 되는 것은 수수께끼가 될 수 없거나, 되더라도 훌륭한 수수께끼는 못 된다고 할 수 있습니다.

1

글의 종류

이 글은 어떤 글입니까?

수수께끼에 대해 ☐☐한 글입니다.

2

중심 내용

수수께끼의 특징이 아닌 것은 무엇입니까?

① 사물이 가진 특징을 빗대어 말합니다.

② 옛날부터 지금까지 만들어지고 있습니다.

③ 어떤 사물에 대하여 바로 말하지 않습니다.

④ 논리적으로 말이 되는 것이 훌륭한 수수께끼입니다.

3

내용 적용

다음의 수수께끼에 대한 답을 연결하시오.

(1) 눈이 녹으면 뭐가 될까요? •   • ㉠ 거짓말

(2) 말은 말인데 타지 못하는 말은? •   • ㉡ 눈물

[색점토의 특징]

• 색이 매우 잘 섞여 누구나 쉽게 여러 가지 색깔의 작품을 만들 수 있어요.

• 촉감이 부드럽고, 가벼울 뿐만 아니라 색깔도 선명해요.

• 많이 주무를수록 ㉠ ☐☐☐☐ 작품을 만들 수 있어요.

[색점토 사용 방법]

• 색점토로 작품을 만들 때에는 우선 색점토를 섞어 원하는 색깔을 만들어요.

• 색점토가 딱딱해지면 살짝 물을 섞어서 주물러 주세요.

• 도구칼을 사용해서 무늬를 만들면 섬세한 표현을 할 수 있어요.

4 이 글은 무엇에 대한 설명서입니까?

중심 내용

☐☐☐의 특성과 사용 방법에 대한 설명서입니다.

5 ㉠에 들어갈 말로, '겉면이 거칠지 않고 미끄러질 정도로 반드러운'이라는 뜻을 가

어휘 진 낱말을 바르게 쓴 것에 ○표 하시오.

메끄러운   매끄러운

6 다음 친구에게 해 줄 도움말은 무엇입니까?

내용 적용

나뭇잎 무늬를 섬세하게 표현해야 하는데 어쩌지?

☐☐☐을 사용해서 무늬를 만들어 봐.

　　옛날 옛적에 마음씨 착한 임금님이 살았어요. 임금님은 백성을 아끼고 사랑했어

요. 가난한 사람들에게 쌀과 옷을 나누어 주었지요.

　　사람들은 모였다 하면 너도나도 임금님 칭찬을 했어요.

　　"그런데 자네들, 임금님에게 신기한 맷돌이 있다는 거 아나?"

　　"마음씨가 착하니 하늘이 임금님께 상을 수신 거구먼!"

　　그런데 그 이야기를 엿듣던 욕심보 도둑은 ㉠고약한 마음을 먹었어요.

　　도둑은 궁궐로 숨어들었어요.

　　임금님은 맷돌 앞에서 "나와라!", "멈춰라!"를 외치고 있었어요.

　　임금님이 "나와라, 옷!" 하면 옷이 나오고 "멈춰라, 옷!" 하

면 멈추는 게 아니겠어요?

　　도둑은 자신도 모르게 씩 웃었지요.

　　"옳아, 저것이 신기한 맷돌이로구나!"

　　도둑은 모두 잠든 사이 맷돌을 훔쳐 도망을 쳤어요.

---

 ❼

내용 파악

이 글에 등장하는 인물은 누구누구입니까?

① 도둑

② 공주님

③ 임금님

④ 사냥꾼

❽

어휘

㉠과 바꾸어 쓸 수 없는 말은 무엇입니까?

① 못된

② 나쁜

③ 악한

④ 착한

9
추론

백성들은 임금님의 신기한 맷돌을 왜 '하늘이 주신 상'이라고 했습니까?

① 신기한 맷돌은 임금님이 말하는 주문만 듣기 때문에

② 맷돌에 '상'이라는 글자가 새겨져 있는 것을 보았기 때문에

③ 임금님들은 하늘이 주신 상을 한 가지씩 다 받았기 때문에

④ 임금님은 백성을 아끼고 사랑하는 착한 마음씨를 가졌기 때문에

다음 뜻을 가진 낱말에 ○표 하시오.

1. 일과 물건을 아울러 이르는 말.

| 사물 | 사건 |

2. 다른 것에 비하여 특별히 눈에 뜨이는 점.

| 특징 | 구성 |

3. 다른 사람의 좋고 훌륭한 점을 들어 높이 평가함.

| 불만 | 칭찬 |

독해

♣ 공부한 날: 　월　일　♣ 맞은 개수: 　/ 8문항

설명하는 글　문제 ❶~❷

　우리 주변에는 고무로 만든 물건들이 많아요. 고무는 부딪히는 힘을 약하게 만들어요. 그렇기 때문에 고무바퀴가 있는 탈것은 울퉁불퉁한 길을 달려도 많이 흔들리지 않아요. 또 고무는 미끄러지지 않게 하기 때문에 밑바닥이 고무로 된 신발을 신으면 쉽게 넘어지지 않아요.

　그렇다면 고무는 어떻게 만들어질까요? 5~7년 정도 자란 파라고무나무 껍질에서 흘러내리는 고무즙을 통에 모아요. 고무즙에 초산을 넣어 잘 섞은 다음, 커다란 그릇에 넣고 굳혀요. 고무즙이 굳으면 그 덩어리를 납작하게 누르는 기계에 넣고 얇게 펴요. 얇게 편 고무를 햇볕과 바람에 잘 말리면 생고무가 돼요.

❶ **고무로 만든 물건과 알맞은 설명을 연결하시오.**

내용 파악

(1) 　·

·　㉠　울퉁불퉁한 길을 달려도 많이 흔들리지 않아요.

(2) 　·

·　㉡　쉽게 넘어지지 않아요.

❷ **이 글을 읽고 고무를 만드는 과정을 순서대로 쓰시오.**

일의 순서

일의 순서	고무를 만드는 과정
	얇게 편 고무를 햇볕과 바람에 말려요.
	고무즙에 초산을 넣고 섞은 뒤 그릇에 넣고 굳혀요.
	굳은 고무즙 덩어리를 납작하게 만드는 기계에 넣어요.
	파라고무나무 껍질에서 흘러내리는 고무즙을 통에 모아요.

경찰 아저씨께

안녕하세요. 저는 희망초등학교에 다니는 최윤서입니다.

저는 매일 경찰 아저씨께서 교통 지도를 하시는 횡단보도를 건너 등교해요. 처음 입학했을 때에는 횡단보도를 혼자 건너는 것이 제일 힘들었어요. 그런데 어느 날부터 경찰 아저씨가 노란 깃발을 올려 주시면서 저희가 안전하게 건널 수 있도록 도와주셨죠. 비가 오는 날에도 더운 날에도 저희가 길을 안전하게 건널 수 있도록 도와주셔서 정말 고맙습니다. 앞으로도 저희를 안전하게 지켜 주세요. 저도 경찰 아저씨를 뵐 때마다 큰 소리로 인사하겠습니다.

2○○○년 ○월 ○일

최윤서 올림

---

❸ 이 편지는 누구에게 쓴 것입니까?

내용 파악

교통 지도를 해 주시는 [ ][ ] 아저씨께 썼습니다.

❹ 경찰 아저씨께서 매일 해 주시는 것은 무엇입니까?

중심 내용

횡단보도에서 [ ][ ] 지도를 해 주십니다.

❺ 윤서가 처음 학교에 입학했을 때, 가장 힘들었던 것은 무엇입니까?

내용 파악

① 교실을 혼자 찾아가는 것이 힘들었어요.

② 횡단보도를 혼자 건너는 것이 힘들었어요.

③ 비오는 날 등교할 때 옷이 다 젖는 것이 힘들었어요.

④ 무거운 가방을 혼자 메고 가는 것이 힘들었어요.

탐구 보고서

탐구 주제	콩나물 기르기
탐구 목적	콩나물이 어떻게 자라는지 알기 위해서
탐구 일정	20◯◯년 6월 5일~20◯◯년 6월 15일
탐구 방법	콩이 콩나물로 자라나는 과정을 기록한다.
탐구 내용 및 탐구 결과	1. 하루 정도 물에 불린 콩을 구멍이 있는 그릇에 넣고, 하루에 4~5번 정도의 물을 부어준다. 2. 하루가 지나니 싹이 트기 시작했고, 3일째가 되자 콩나물이 4~5cm 정도 자랐다. 3. 7일째에는 콩나물이 10cm 넘게 자랐고, 8일째부터는 아랫부분에 작은 털이 자라기 시작했다. 4. 9일 정도가 지나자 콩나물의 머리가 노란색이 아니라 초록색이 되었다.
	싹이 난 모습　　　　3일 지난 모습　　　　9일 지난 모습
새로 알게 되었거나 느낀 점	콩나물을 키울 때에는 어두운 색깔의 뚜껑이나 검은 비닐, 젖은 행주를 씌워야 한다. 그렇지 않으면 머리 부분이 초록색이 되면서 맛이 질겨진다고 한다.

6

글의 종류

이 글은 어떤 글입니까?

콩이 콩나물로 자라는 과정을 기록한 탐구 ☐☐☐입니다.

7 이 탐구 보고서를 통해 알 수 있는 내용이 <u>아닌</u> 것은 무엇입니까?

내용 파악

① 탐구를 도와준 사람　　　　② 탐구한 내용과 결과

③ 탐구를 진행한 기간　　　　④ 탐구를 통해 알게 된 점

8 다음 친구에게 해 줄 도움말은 무엇입니까?

내용 적용

왜 콩나물 머리가
초록색이지?

?

콩나물을 키울 때는 검은
□□을 씌워야 해.

어휘력 체크체크

다음 뜻을 보고 어떤 낱말인지 [보기]에서 찾아 쓰시오.

보기

입학　　　싹　　　행주　　　땅

1. 뜻: 씨앗이나 줄기에서 처음 나오는 어린잎이나 줄기.

예 봄이 되면 온갖 꽃과 나무에 □이 튼다.

2. 뜻: 학생이 되어 공부하기 위해 학교에 들어감.

예 언니는 중학교에 □□했다.

3. 뜻: 밥상이나 그릇 따위를 닦는 데 쓰는 헝겊.

예 엄마는 □□로 밥상을 깨끗이 닦았다.

중요한 낱말을 다시 한번 확인하고 □에 써 보세요.

위험하다 (위태할 危, 험할 險 —)	생명이나 신체를 위태롭게 하여 안전하지 않다. 예 어린이가 밤에 혼자 다니면 ＿＿＿＿.

향기 (향기 香, 기운 氣)	꽃이나 향 따위에서 나는 좋은 냄새. 예 우리 집 담벼락에 피는 장미에서 좋은 ＿＿가 난다.

통화 (통할 通, 말할 話)	전화로 말을 주고받음. 예 나는 친구와 약속을 하기 위해 ＿＿를 하였다.

새치기	일이나 줄의 순서를 어기고 남의 앞자리에 끼어드는 일. 예 버스를 타려는데 어떤 사람이 ＿＿＿를 하였다.

교통 (사귈 交, 통할 通)	자동차, 기차, 비행기 등의 탈것을 이용하여 사람이나 짐이 한 지역에서 다른 지역으로 이동하는 일. 예 이 지역은 차가 많이 몰려 ＿＿이 복잡하다.

주위 (두루 周, 둘레 圍)	어떤 곳을 중심으로 하여 가까운 곳. 예 솔개가 자꾸 집 ＿＿를 빙빙 돈다.

등교 (오를 登, 학교 校)	학생이 학교에 감. 예 아침마다 즐거운 마음으로 ＿＿를 한다.

21~25 일차 십자말 풀이

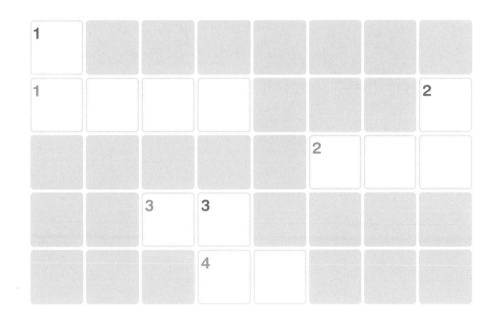

🔑 가로 열쇠

1. 생명이나 신체를 위태롭게 하여 안전하지 않다.

2. 일이나 줄의 순서를 어기고 남의 앞자리에 끼어드는 일.

3. 학생이 학교에 감.

4. 전화로 말을 주고받음.

🔑 세로 열쇠

1. 어떤 곳을 중심으로 하여 가까운 곳.

2. 꽃이나 향 따위에서 나는 좋은 냄새.

3. 자동차, 기차, 비행기 등의 탈것을 이용하여 사람이나 짐이 한 지역에서 다른 지역으로 이동하는 일.

MEMO

MEMO

MEMO

내신·수능 1등급으로 가는 길
이룸이앤비가 함께합니다.

http://www.erumenb.com

이룸이앤비	Q

인터넷 서비스

- 이룸이앤비의 모든 교재에 대한 자세한 정보
- 각 교재에 필요한 듣기 MP3 파일
- 교재 관련 내용 문의 및 오류에 대한 수정 파일

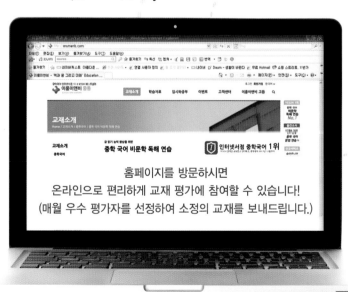

홈페이지를 방문하시면
온라인으로 편리하게 교재 평가에 참여할 수 있습니다!
(매월 우수 평가자를 선정하여 소정의 교재를 보내드립니다.)

굿비
좋은 시작, 좋은 기초

글 읽기 능력이 향상되면
모든 공부의 **차신감**도 **향상**됩니다.

신간

다양한 글들을
쉽고 재미있게
공부하다 보면
독해왕이 됩니다!!!

숨마어린이

초등국어 **독해왕** 시리즈

1단계/2단계/3단계/4단계/5단계/6단계 (전 6권)

숨마 어린이®

글 읽기 능력 향상을 위한

초등국어 독해왕

글 읽기가 재미있다는 것을 자연스럽게 알게 됩니다.

문학(동화, 동시, 기행문, 전기문 등),
비문학(설명문, 논설문, 실용문, 소개문, 안내문, 편지 등)을
초등학생의 수준에 따라 엄선하여 수록!

1
단계

정답 및 해설

상세한 지문 분석 및 문제 해설

▶ **학생**에게는 **자기 주도 학습**을 위한 가이드가
▶ **선생님**들에게는 수업을 위한 **지도 자료**로 활용될 수 있습니다.

글 읽기 능력 향상을 위한!

초등국어 **독해왕**

1 단계

정답 및 해설

이룸이앤비
Education & Books

01 일차

1 직업	2 ②	3 (1) 미용사, (2) 소방관,
(3) 의사, (4) 제빵사, (5) 택배 기사		4 편지
5 ②	6 ④	7 ③	8 노루
9 (1) 치과, (2) 외과	10 ①	

1 ◎ 정답 풀이 1문단에서 '우리 동네에 사는 사람들의 직업은 다양합니다.'라고 했어요. 이후 미용사, 소방관, 의사, 제빵사, 택배 기사의 직업에 대해 설명했어요. 따라서 이 글은 우리 동네에 사는 사람들의 직업에 대해 설명하고 있어요. 정답 **직업**

2 ◎ 정답 풀이 ㉠의 앞과 뒤에서 직업에 대해 설명했어요. 따라서 ㉠에는 서로 비슷한 내용의 두 문장을 이어줄 때 사용하는 '그리고'가 와야 해요. 정답 ②

3 ◎ 정답 풀이 1문단에서 미용사는 사람들의 머리를 예쁘게 다듬어 주고, 소방관은 불이 나면 물줄기를 쏘아 불을 꺼 준다고 했어요. 그리고 의사는 몸이 아플 때 치료해 주고, 제빵사는 빵을 구워 주고, 택배 기사는 주문한 물건을 가져다준다고 했어요. 정답 (1) **미용사**, (2) **소방관**, (3) **의사**, (4) **제빵사**, (5) **택배 기사**

4 ◎ 정답 풀이 글의 처음 부분에 받는 사람인 '할머니'가 나와 있고, 첫 인사를 드리고 하고 싶은 말을 하고 있어요. 그리고 마지막에 쓴 날짜가 나와 있기 때문에 이 글은 손녀 현지가 할머니께 쓴 편지예요. 정답 **편지**

알아두면 도움이 돼요!

"편지"

• 뜻: 상대에게 소식이나 안부를 전하기 위하여 적어 보내는 글.

• 쓰는 순서: 받는 사람 → 첫 인사 → 하고 싶은 말 → 끝인사 → 쓴 날짜 → 쓴 사람
• 웃어른께 편지를 쓸 때: 쓴 사람 부분에는 이름 뒤에 '올림', '드림'이라고 써야 해요.

5 ◎ 정답 풀이 '할머니 선물로 양말을 준비했어요.'라는 부분에서 현지가 할머니께 드릴 선물이 '양말'이라는 것을 알 수 있어요. 정답 ②

6 ◎ 정답 풀이 '학교 앞 문구점에서 장난감을 사 주시기도 해서 저는 할머니가 너무 좋아요.'라고 했어요. 그래서 ④의 '학용품'을 사 주셨다는 내용은 할머니가 현지에게 해 주신 일이 아니에요. 정답 ④

7 ◎ 정답 풀이 이 글에는 이가 아픈 '자라'와 자라를 치과에 데려다주려고 너무 서두르다 다친 '토끼', 토끼를 도와주는 '노루'가 나와요. 호랑이는 나오지 않아요. 정답 ③

8 ◎ 정답 풀이 글의 마지막 부분에 노루 아저씨가 토끼와 자라에게 타라고 했어요. 정답 **노루**

9 ◎ 정답 풀이 (1) 자라는 이가 너무 아파서 치과에 간다고 했어요. (2) 토끼는 너무 서두르다가 다쳐 다리가 아프다고 했더니 노루 아저씨가 외과에 데려다주겠다고 했어요. 정답 (1) **치과**, (2) **외과**

10 ◎ 정답 풀이 글에서 '토끼가 너무 서두르다가 다쳐요.'라고 했어요. 정답 ①

어휘력 체크체크 1. **문구점**   2. **치료**   3. **주문**

02 일차

1 일기	2 ③	3 (1) 휘휘, (2) 꿀꺽꿀꺽
4 횡단보도	5 ②	6 ②	7 설명
8 윷	9 (1) 윷놀이, (2) 연날리기, (3) 줄다리기

1 ◎ **정답 풀이** 날짜와 날씨를 쓰고 추석날에 겪은 일 가운데 가장 기억에 남는 일을 쓴 일기예요.

정답 **일기**

알아두면 도움이 돼요!

"일기"

일기는 하루 동안 있었던 일 중에서 생각나는 것이나 가장 중요했던 일을 글감으로 해서 써요. 예를 들면 가장 즐거웠거나 행복했던 일, 가장 슬펐던 일, 가장 놀랐던 일 등 오늘만 특별하게 일어난 일을 쓰는 게 좋아요. 또 솔직하게 자신의 생각이나 느낌을 써야 해요. 제목을 붙이는 것도 괜찮아요. 제목을 붙이면 주제가 뚜렷한 일기가 되니까요.

2 ◎ **정답 풀이** 감이 떫어서 뱉은 사람은 '나'가 아니라 '사촌 오빠'라고 했어요.

정답 ③

3 ◎ **정답 풀이** (1) 세 번째 문장에서 '나'는 긴 막대를 휘휘 돌렸다고 했어요. '휘휘'는 이리저리 휘두르거나 휘젓는 모양을 나타내는 말이에요. (2) 일곱 번째 문장에서 사촌 오빠는 물을 '꿀꺽꿀꺽' 소리를 내며 마셨다고 했어요. '꿀꺽꿀꺽'은 물이나 음식물이 목구멍으로 한꺼번에 많이 자꾸 넘어가는 소리를 나타내는 말이에요.

정답 (1) **휘휘**, (2) **꿀꺽꿀꺽**

4 ◎ **정답 풀이** 이 글은 횡단보도를 안전하게 건너기 위해서는 어떻게 해야 하는지 그 방법을 안내해 주고 있어요.

정답 **횡단보도**

5 ◎ **정답 풀이** 3.에서 횡단보도 오른쪽에 서서 운전자를 보며 왼손을 들어야 한다고 했어요.

정답 ②

6 ◎ **정답 풀이** 주의 사항을 보면 '신호등의 초록불이 깜빡이거나 횡단보도를 건너는 시간이 얼마 남지 않았을 때에는 건너지 말고 다음 신호를 기다립니다.'라고 했어요.

정답 ②

7 ◎ **정답 풀이** 이 글은 우리 조상들이 즐겨했던 윷놀이, 연날리기, 줄다리기 등의 민속놀이에 대해 설명하고 있어요.

정답 **설명**

8 ◎ **정답 풀이** 그림을 보며 낱말을 생각하면 빈칸에 공통으로 들어갈 말은 '윷'이에요.

정답 **윷**

9 ◎ **정답 풀이** 1문단에서 '윷놀이'에 대한 설명을, 2문단에서 '연날리기'와 '줄다리기'에 대한 설명을 했어요.

정답 (1) **윷놀이**, (2) **연날리기**, (3) **줄다리기**

어휘력 체크체크   **1.** ②   **2.** ①   **3.** ②

1 수목원	**2** ②	**3** 2-1-4-3
4 2	**5** ①	**6** ② 　　　　**7** 분리
8 ③	**9** (1)-ⓒ, (2)-ⓛ, (3)-㉠	

1 ◉ 정답풀이 글의 첫 부분에서 민찬이에게 '수목원으로 간 체험 학습은 잘 다녀왔니?'라고 했어요.
정답 **수목원**

2 ◉ 정답풀이 '가방에 넣어 준 손수건과 물통도 잘 챙겨서 가지고 왔지?'라고 했어요. 정답 ②

3 ◉ 정답풀이 마지막 부분에서 손과 발을 깨끗이 씻고 냉장고에 넣어 둔 수박을 꺼내 먹으라고 했고, 수박 껍질은 음식물 쓰레기통에 버리라고 했어요. 그런 후 가방에 넣어 갔던 물건들을 꺼내 놓으라고 했어요. 따라서 민찬이가 해야 할 일의 순서는 2-1-4-3이에요. 정답 **2-1-4-3**

4 ◉ 정답풀이 시에서 '연'은 몇 행을 한 단위로 묶어서 이르는 말이에요. 따라서 '연'은 한 줄을 띄어서 나타내지요. 이 시는 총 2개의 덩어리로 묶여져 있어요. 총 2연이라는 말이지요. 1연에서는 아기가 혼자 남아 집을 보다가 잠이 든다고 했어요. 2연에서 엄마는 다 못 찬 굴 바구니를 머리에 이고 모랫길을 달려온다고 했어요. 정답 **2**

5 ◉ 정답풀이 바다가 불러 주는 자장노래에 아기는 잠이 든다고 했어요. 정답 ①

6 ◉ 정답풀이 엄마는 굴을 따러 가고 바다가 불러 주는 자장노래에 아기는 잠이 드는 것으로 보아 아기는 바닷가에 살고 있어요. 정답 ②

7 ◉ 정답풀이 1문단에서 글쓴이는 우리가 버린 쓰레기가 지구를 오염시킨다고 했고, 2문단에서 쓰레기의 종류에 따라 분리하는 방법을 설명했어요. 3문단에서는 우리 모두 쓰레기를 분리해서 내놓는 방법을 제대로 알고 실천해야 한다고 했어요. 따라서 이 글은 쓰레기를 재활용하기 위해 분리해서 내놓아야 한다는 것을 주장하고 있어요. 정답 **분리**

8 ◉ 정답풀이 ㉠의 앞 문장은 재활용을 할 수 있는 것들은 분리해서 내놓아야 한다는 내용이고, 뒤 문장은 아직도 많은 친구들이 그렇게 하지 않고 있다는 내용이에요. ㉠의 앞뒤로 두 문장이 서로 반대되는 내용으로 구성되어 있으므로, 두 문장을 연결할 때 서로 반대되는 내용을 이어 주는 역할을 하는 '그러나'가 적절해요. 정답 ③

9 ◉ 정답풀이 2문단에서 금속캔은 물로 헹구고 찌그러뜨려 내놓고, 페트병은 통에 든 내용물을 깨끗이 비우고 상품 이름이 적힌 비닐은 제거하라고 했어요. 또 우유팩은 물로 헹군 다음 펴서 햇볕에 말려 신문지와 구분해서 내놓아야 한다고 했어요.
정답 (1)-ⓒ, (2)-ⓛ, (3)-㉠

어휘력 체크체크 　**1. 수목원** 　**2. 분리** 　**3. 제거**

04 일차

본문 ➡ 24쪽

1 인사　　2 안녕하세요　　3 ④
4 안내　　5 ②　　6 (1) 탁자, (2) 계단
7 반딧불이　　8 ④　　9 반짝반짝
10 ①

1 **정답 풀이** 1문단에서 아저씨는 '나'가 인사를 하자 "항상 인사를 참 잘하는구나!" 하고 칭찬을 해 주셨다고 했어요. **정답** 인사

2 **정답 풀이** 엘리베이터에서 만난 이웃 아저씨에게는 '안녕하세요?' 하고 인사를 해요. **정답** 안녕하세요

3 **정답 풀이** 2문단에서 인사를 하는 사람과 받는 사람 모두 기분이 좋아지기 때문에 인사는 행복 바이러스인 것 같다고 했어요. **정답** ④

4 **정답 풀이** 이 글은 지진이 일어나면 어떻게 행동해야 하는지 안내하고 있어요. **정답** 안내

5 **정답 풀이** '탁자와 같은 피할 곳이 없을 때에는 푹신한 물건으로 머리를 보호해요.'라고 했어요. 따라서 머리를 보호하기 위한 푹신한 물건은 ②가 좋아요. **정답** ②

6 **정답 풀이** (1) 첫 번째 문장에서 '튼튼한 탁자 아래로 들어가 탁자 다리를 꼭 잡고 몸을 보호해요.'라고 했어요. (2) 세 번째 문장에서 '엘리베이터를 타지 말고, 계단을 이용하여 건물 밖으로 나가요.'라고 했어요. **정답** (1) 탁자, (2) 계단

7 **정답 풀이** 개똥벌레라고도 불리는 '반딧불이'에 대해 설명하는 글이에요. **정답** 반딧불이

8 **정답 풀이** 2문단에서 '반딧불이의 암수는 이 빛으로 서로를 알리고 알아낼 수도 있대요.'라고 했어요. 따라서 서로가 반짝거리며 내는 빛을 보고 암수는 서로를 알아본다고 할 수 있어요. **정답** ④

9 **정답 풀이** '작은 빛이 잠깐 잇따라 나타났다가 사라지는 모양.'을 뜻하는 낱말은 '반짝반짝'이에요. **정답** 반짝반짝

10 **정답 풀이** 반딧불이는 낮에는 나뭇잎 뒤나 풀에 앉아서 쉬고, 밤이 되면 반짝반짝 빛을 내며 날아다닌다고 했어요. 그리고 도시의 불빛이 너무 밝아서 불빛이 없는 산골로 찾아들어 가 살고 있다고 했어요. 도시는 너무 밝아서 반딧불이가 살 수 없는 것이에요. 그래서 불빛이 없는 산골을 좋아하는 것이지요. **정답** ①

 어휘력 체크체크　1. 바이러스　2. 지진　3. 담장

05 일차

본문 ◑ 28쪽

1 눈곱, 귀지	2 ②	3 먼지
4 일기 예보	5 나들이	6 ① 　　7 경복궁
8 ②	9 (1)-㉠, (2)-㉡	

1 ◎정답 풀이 윤지는 엄마에게 눈곱과 귀지가 어떻게 생겨난 것이냐고 물었어요. 정답 **눈곱, 귀지**

2 ◎정답 풀이 엄마는 '눈곱 때문에 눈이 불편했겠구나.'라고 했어요. 정답 ②

3 ◎정답 풀이 엄마는 눈곱은 '더러운 먼지들이 윤지 눈의 눈물과 섞여 만들어진 거란다.'라고 했어요. 그리고 귀지는 '땀이나 먼지, 몸속 찌꺼기 같은 것들이 뭉쳐져서 귀지가 되는 거란다.'라고 했어요. 따라서 공통으로 들어갈 낱말은 '먼지'예요. 정답 **먼지**

4 ◎정답 풀이 이 글은 오늘의 날씨와 주말의 날씨를 알려 주고 있어요. 이렇게 날씨를 미리 예측하여 알려 주는 것을 '일기 예보'라고 해요. 정답 **일기 예보**

알아두면 도움이 돼요!

"일기 예보"

일기 예보는 앞으로의 날씨를 예상하여 미리 알려 주는 것이에요. 일기 예보에는 1~3일쯤의 일기 변화를 발표하는 일일 예보가 있고, 1주일의 일기를 예보하는 주간 예보가 있어요. 1개월간의 일기를 예측하는 것을 월간 예보라고 해요. 일기 예보는 우리 일상 생활에서 유용하게 쓰이는 정보예요. 여행이나 휴가 등을 계획할 때뿐만 아니라 농사를 짓는 데도 일기 예보의 날씨 정보를 필요로 해요.

5 ◎정답 풀이 '집을 떠나 가까운 곳에 잠시 다녀오는 일'이라는 뜻을 가진 낱말은 '나들이'예요. 정답 **나들이**

6 ◎정답 풀이 2문단에서 '모레인 일요일에는 전국적으로 비가 내릴 것으로 보입니다.'라고 했어요. 정답 ①

7 ◎정답 풀이 글의 첫 부분에서 '이번 여행에서 가장 기억에 남는 곳은 경복궁이었다.'라고 했어요. 정답 **경복궁**

8 ◎정답 풀이 1문단에서 '주말이라 경복궁은 많은 사람들로 붐볐다.'라고 했어요. 정답 ②

9 ◎정답 풀이 2문단을 보면 '근정전에서는 중요한 행사를 치르고 여러 가지 나라 일을 결정했다.'고 했고, '경회루는 왕이 잔치를 베풀거나 큰 행사가 있을 때 손님을 대접하던 곳'이라고 했어요. 정답 (1)-㉠, (2)-㉡

 어휘력 체크체크 　1. ② 　　2. ① 　　3. ②

어휘력 쑥쑥 테스트 　**01. 소쿠리** 　**02. 제빵사** 　**03. 보호**
04. ㉡ 　　**05. ㉠** 　　**06. 오염**
07. 재활용

06 일차

본문 ➡ 36쪽

1 음식	**2** ④
3 ①-ⓒ, ②-㉠, ③-㉣, ④-ⓛ	**4** ①
5 ① **6** 사윗감 **7** ④	**8** ②

1 ◎ **정답풀이** 이 글은 각 계절의 날씨는 어떠한지, 계절에 따라 먹는 음식은 어떤 것인지를 소개하고 있어요. 정답 **음식**

2 ◎ **정답풀이** '짭조름하다'는 '조금 짠맛이 있다.'라는 뜻이에요. 예를 들면 '반찬에 소금을 넣었더니 맛이 짭조름하다.'와 같이 쓸 수 있어요. 정답 ④

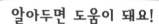

알아두면 도움이 돼요!

"'맛'을 나타내는 단어"

• **달콤하다**: 음식물이 입에 당기는 맛이 있게 달다.
  예 사탕이 달콤하다.
• **시큼하다**: 맛이나 냄새 따위가 조금 시다.
  예 김치가 시큼하다.
• **씁쓰름하다**: 조금 쓴 맛이 나는 듯하다.
  예 나물이 씁쓰름하다.
• **매콤하다**: 냄새나 맛이 약간 맵다.
  예 국물이 매콤하다.

3 ◎ **정답풀이** 봄에는 비타민이 풍부한 봄나물을 먹고, 여름에는 젓갈을 넣고 쌈을 싸 먹으며, 가을에는 말린 호박으로 죽을 쑤어 먹고, 겨울에는 뜨거운 찌개나 탕을 끓여 먹는다고 했어요.
정답 ①-ⓒ, ②-㉠, ③-㉣, ④-ⓛ

4 ◎ **정답풀이** 엄마는 두부가 건강에 좋다며 두부 음식을 먹는 것이 어떠냐고 했어요. 정답 ①

5 ◎ **정답풀이** 수민이가 중국집을 가자는 의견을 내고 엄마와 상훈이가 두부 음식에서 중국집으로 의견을 바꾸었어요. 그리고 아빠도 중국집으로 가자고 했

기 때문에 상훈이네 가족이 오늘 저녁을 먹으러 가는 음식점은 중국집이에요. 정답 ①

6 ◎ **정답풀이** 두더지 가족은 미륵에게 '세상에서 제일 힘센 미륵님!'이라고 하며 자신의 딸과 결혼해 사위가 되어 달라고 했어요. 그리고 마지막 부분에서 아빠 두더지는 두더지가 세상에서 제일 힘이 세다고 말하고 있어요. 따라서 두더지 가족은 자신의 딸과 결혼할, 세상에서 제일 힘센 사윗감을 찾고 있다는 것을 알 수 있어요. 정답 **사윗감**

7 ◎ **정답풀이** 해님은 구름님한테 꼼짝 못하고, 구름님은 바람님한테, 바람님은 미륵님한테 꼼짝 못한다고 했어요. 그런데 힘이 센 줄 알았던 미륵님을 두더지가 쓰러뜨렸어요. 그래서 두더지가 가장 힘이 센 것이지요. 정답 ④

8 ◎ **정답풀이** 아빠 두더지는 힘이 센 사윗감을 찾아 여행을 떠났지만, 결국 가장 힘이 센 사윗감은 바로 두더지라는 것을 깨달았어요. 정답 ②

어휘력 체크체크 **1.** 계절 **2.** 뚝배기 **3.** 사위

1 집	**2** ②	**3** ①-ⓒ, ②-㉠
4 소개	**5** 싫어합니다	**6** ④
7 콩	**8** 메주, 숯	**9** (1) 간장, (2) 된장

1 ◉ 정답 풀이 기와집, 초가집 같은 옛날 사람들이 살았던 집에 대해 설명하는 글이에요. 정답 **집**

2 ◉ 정답 풀이 '이런 집'은 바로 앞에서 이야기한 집을 가리키는 말이에요. ㉠의 앞에서는 초가집에 대해 설명하고 있어요. 정답 **②**

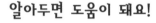

알아두면 도움이 돼요!

"지시하는 말"

· 이것: 바로 앞에서 이야기한 대상을 가리키는 말. 말하는 사람에게 가까이 있는 사물을 가리키는 말.
· 저것: 말하는 사람이나 듣는 사람으로부터 멀리 있는 사물을 가리키는 말.

3 ◉ 정답 풀이 2문단에서 기와집은 기와로 지붕을 만들어 덮었다고 했어요. 그리고 3문단에서 초가집은 볏짚으로 지붕을 만들었다고 했어요.
정답 ①-ⓒ, ②-㉠

4 ◉ 정답 풀이 글의 첫 부분에서 '여러분에게 제 꿈에 대해서 소개하겠습니다.'라고 했어요. 그러므로 이 글은 소개하는 글이에요. 정답 **소개**

5 ◉ 정답 풀이 '마음에 들지 아니하다.'를 의미하는 낱말은 '싫다'예요. ㉠에 맞게 바르게 쓰면 '싫어합니다'예요. 정답 **싫어합니다**

6 ◉ 정답 풀이 1문단에서 글쓴이가 요리사가 되고 싶은 이유는 자신이 만든 요리를 먹고 많은 사람이 행복해지길 바라기 때문이라고 했어요. 정답 **④**

7 ◉ 정답 풀이 할머니는 콩을 삶아서 메주를 만들어 간장과 된장을 만드는 방법을 시현이에게 이야기해 주고 있어요. 정답 **콩**

8 ◉ 정답 풀이 할머니는 잘 말린 메주를 항아리 속에 넣고 소금물을 가득 부은 다음에 숯, 고추, 대추를 그 물 위에 띄워 놓는다고 했어요. 정답 **메주, 숯**

9 ◉ 정답 풀이 마지막 부분에서 할머니는 까맣게 된 소금물을 걸러 내서 끓이면 간장이 되고, 항아리에 남은 메주를 으깨어 소금을 넣고 한 달쯤 두면 된장이 된다고 했어요. 정답 (1) **간장**, (2) **된장**

어휘력 체크 체크 1. ① 2. ① 3. ②

1 안내	2 ①	3 새치기	4 한글
5 ②	6 석환아, 내일 내 생일 파티에 올 수		
있니?	7 보고서	8 ②	

1 ◎ 정답 풀이   첫 문장에서 버스를 이용할 때 지켜야 하는 여러 규칙과 예절에 대해 안내하겠다고 했어요. 그리고 두 번째 문장부터는 여러 규칙과 예절에 대해 알려 주고 있어요.   정답 **안내**

2 ◎ 정답 풀이   넷째 문장에서 버스가 달릴 때에는 자리에 앉아 있어야 한다고 했어요.   정답 ①

3 ◎ 정답 풀이   줄을 서 있는 사람들 앞으로 끼어드는 것을 '새치기'라고 해요.   정답 **새치기**

4 ◎ 정답 풀이   2문단 마지막 부분에서 무조건 줄임말을 쓰기보다는 한글의 올바른 표현을 지켜 쓰자고 했어요.   정답 **한글**

5 ◎ 정답 풀이   2문단에서 줄임말을 쓰면 한글의 올바른 표현이 사라질 것이고, 어른들과 말이 통하지 않으며 친구들 사이에서도 외로움을 느낄 수 있다는 문제점을 설명하고 있어요.   정답 ②

6 ◎ 정답 풀이   그림 속 어린이는 '생일 파티'를 줄인 '생파'라는 줄임말을 사용하고 있어요.
정답 **석환아, 내일 내 생일 파티에 올 수 있니?**

7 ◎ 정답 풀이   이 글은 끈끈이주걱의 특징과 벌레를 잡는 과정을 관찰하고 그 결과를 쓴 관찰 보고서예요.   정답 **보고서**

8 ◎ 정답 풀이   '끈끈이주걱의 특징 및 사는 곳'에서 잎에는 검은 털이 아니라, 가느다란 분홍색 털이 수백 개 나 있다고 했어요.   정답 ②

 어휘력 체크체크   1. 차례   2. 예절   3. 친근감

---

1 태극기	2 ③	3 4괘	4 일기
5 울긋불긋	6 ①	7 ④	
8 (1)−ⓒ, (2)−ⓛ, (3)−㉠			

1 ◎ 정답 풀이   이 글은 우리 민족과 나라를 나타내는 태극기에 대해 설명하고 있어요.   정답 **태극기**

2 ◎ 정답 풀이   2문단에서 태극의 위쪽은 빨간색, 아래쪽은 파란색이라고 했어요.   정답 ③

3 ◎ 정답 풀이   3문단에서 '네 귀퉁이에 있는 검은 선들을 '건, 곤, 감, 이'라고 하는데, 이것을 4괘라고 해요.'라고 했어요.   정답 **4괘**

4 ◎ 정답 풀이   단풍 구경을 하려고 공원에 가서 있었던 일을 쓴 일기예요.   정답 **일기**

5 ◎ 정답 풀이   '울긋불긋'은 짙고 옅은 여러 가지 빛깔들이 야단스럽게 한데 뒤섞여 있는 모양을 뜻하는 말로, 주로 단풍잎의 색을 표현할 때 많이 쓰여요.
정답 **울긋불긋**

6 ◎ 정답 풀이   아빠가 단풍이 너무 예쁘다며 사진을 찍었다고 했어요.   정답 ①

7 ◎ 정답 풀이   아버지는 할아버지 생신 선물을 준비하라며 딸 셋에게 콩을 한 알씩 주었어요.   정답 ④

8 ◎ 정답 풀이   (1) 큰딸이 아버지의 말에 말도 안 된다며 콩을 창밖으로 던져버린 행동으로 볼 때 ⓒ이 적절해요. (2) 둘째 딸은 콩을 땅에 심고 꾹 밟아 놓기만 한 행동으로 볼 때 ⓛ이 적절해요. (3) 막내딸은 아버지의 말씀을 듣고 행동에 옮겨 꿩을 팔려고 해요. 따라서 ㉠이 적절해요.
정답 (1)−ⓒ, (2)−ⓛ, (3)−㉠

어휘력 체크체크   1. 귀퉁이   2. 평화   3. 조화

1 ③	2 ②	3 쇠똥구리	4 똥
5 ②	6 ②	7 사뿐사뿐	8 ③

1 ◎ 정답풀이 1문단 마지막 부분에서 '낙안읍성 안에는 관아와 군대가 있었고, 백성들도 살았다고 알려주셨다.'라고 했어요. 따라서 낙안읍성 안에 관아와 군대, 백성들의 모습은 직접 본 것이 아니라 아빠로부터 들은 것이에요. 정답 ③

알아두면 도움이 돼요!

"기행문"

기행문은 여행하면서 체험하거나 느낀 것을 자유롭게 쓴 글이에요. 글쓴이가 보거나 들은 것들이 사실대로 드러나 있어요. 또한 글쓴이의 솔직한 마음과 여행지에서 느낀 특별한 감상도 잘 드러나 있지요. 이렇게 보거나 들어서 알게 된 것은 '견문', 그것에 대한 생각이나 느낌은 '감상'이라고 해요.

2 ◎ 정답풀이 2문단 마지막 부분에서 '오늘은 내가 조선 시대로 여행을 다녀온 것 같아 너무 신나는 하루였다.'라고 했어요. 정답 ②

3 ◎ 정답풀이 이 글은 다양한 짐승의 똥을 굴리며 다니는 쇠똥구리의 생김새, 특성 등을 설명하고 있어요. 정답 쇠똥구리

4 ◎ 정답풀이 3문단에서 굴려서 가져간 똥 안에 알을 낳기도 한다고 했어요. 정답 똥

5 ◎ 정답풀이 3문단에서 쇠똥구리는 똥을 부드러운 흙 속에 파묻은 뒤 하루 종일 먹는다고 했어요. 정답 ②

6 ◎ 정답풀이 이 글은 층간 소음 문제로 다툼이 생기는 경우가 많다고 했어요. 그리고 층간 소음을 줄이

기 위한 방법도 안내했어요. 이것으로 볼 때 우리 집에서는 평범한 소리들이 아랫집에서는 시끄러운 소음이 될 수도 있다는 것을 알 수 있어요. 그러므로 아랫집에서 느끼는 시끄러운 소리는 천둥소리가 가장 적절해요. 정답 ②

7 ◎ 정답풀이 2문단 첫째 문장에서 층간 소음을 줄이기 위해서 걸음은 사뿐사뿐 걸어야 한다고 했어요. 정답 사뿐사뿐

8 ◎ 정답풀이 2문단 여섯째 문장에서 늦은 시간 악기 연주 소리는 이웃을 방해하는 행동이라고 했어요. 정답 ③

어휘력 체크체크 1. 과정 2. 너비 3. 소음

어휘력 쑥쑥 테스트 01. 볏짚 02. 으깨다 03. 조사 04. 숯 05. 방해 06. 함박웃음 07. 기와

1 편지	**2** ①	**3** ③	**4** 숫자
5 ①	**6** ③	**7** 설명	
8 (1)—ⓒ, (2)—ⓒ, (3)—ⓒ		**9** ④	

1 ◉ **정답 풀이** '르네에게', '20○○년 ○월 ○일', '승우가' 등으로 볼 때 편지라는 것을 알 수 있어요.

[정답] **편지**

2 ◉ **정답 풀이** '네가 살고 있는 아이티에 지진이 심하게 나서 너희 집이 무너졌다고 들었어.'라고 했어요. 따라서 아이티에 살고 있는 르네의 집이 지진으로 무너졌음을 알 수 있어요.

[정답] ①

3 ◉ **정답 풀이** 부모님도 찾고 무너진 집도 다시 지어서 르네가 예전처럼 행복하게 살게 되길 바라는 승우의 편지에 고마운 마음이 들었을 거예요. [정답] ③

4 ◉ **정답 풀이** 이 글은 하나에서 열까지 숫자를 세며 거기에 알맞은 노랫말을 찾아 부른 동요예요.

[정답] **숫자**

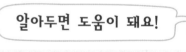

"동요"

어린이들의 꿈을 담고 있으면서 어린이들에 의해 불리는 어린이들의 노래를 말해요. 동요는 언제 누가 지었는지 알려지지 않은 채 전해서 내려온 전래 동요와, 특정한 작가가 어린이들을 위해 새로 만든 창작 동요로 나뉘어요.

5 ◉ **정답 풀이** 이 동요는 개수만 맞으면 어떤 노랫말로도 바꾸어 쓸 수 있습니다. ㉠'밥상 다리'는 네 개로, 숫자 넷과 관련된 노랫말이에요. ① 거북이 다리는 네 개, ② 병아리 다리는 두 개예요. 따라서 네 개인 ①이 ㉠ 대신 쓸 수 있어요. [정답] ①

6 ◉ **정답 풀이** 이 동요를 부를 때에는 흥겨움이 느껴져요. [정답] ③

7 ◉ **정답 풀이** 이 글은 양분을 뿌리에 저장하는 뿌리채소의 특성과 뿌리채소에는 어떤 것들이 있는지 예를 들어 설명하고 있어요. [정답] **설명**

8 ◉ **정답 풀이** (1) 2문단 마지막 부분에서 우엉을 먹으면 변비 예방에 좋다고 했어요. (2) 2문단에서 열이 나거나 목이 아프거나 기침이 날 때 무를 먹으면 효과가 있다고 했어요. (3) 2문단에서 당근은 주황색을 띠는데 눈에 좋은 영양소가 매우 많다고 했어요. ㉠은 당근, ㉡은 우엉, ㉢은 무의 사진이에요.

[정답] (1)—ⓒ, (2)—ⓒ, (3)—ⓒ

9 ◉ **정답 풀이** 뿌리채소는 잎에서 만든 양분을 뿌리에 저장한다고 했어요. 뿌리채소에는 무, 고구마, 당근, 우엉 등이 있다고도 했지요. [정답] ④

 **어휘력 체크체크** **1.** ② **2.** ② **3.** ①

1 (1) 영민, (2) 민정　　**2** ④

3 1-3-2-4　　　　　**4** 방긋　　**5** ①, ②

6 끝말잇기　**7** 말꼬리　**8** 1-3-4-2

9 (1) ×, (2) ○, (3) ○

1 ◎ 정답 풀이 영민이는 '저는 휴대 전화를 학교에 가지고 오는 것에 찬성합니다.'라고 했고, 민정이는 '저는 반대합니다.'라고 했어요.

정답 (1) 영민, (2) 민정

알아두면 도움이 돼요!

"토의와 토론"

• 토의: 공동으로 해결해야 할 문제에 대하여 정보와 의견을 주고받은 뒤에 가장 좋은 해결 방법을 찾는 것이에요.

　예 점심 시간을 이용해 어떤 활동을 하는 것이 좋을까요?

• 토론: 토론은 서로 의견이 다른 문제를 놓고 자기 생각을 말하거나 따지고 의논하는 것이에요.

　예 지각비를 걷느냐를 놓고 우리 반 모두가 모여 토론을 했어요.

2 ◎ 정답 풀이 영민이는 휴대 전화가 없으면 부모님과 연락을 할 수 없어 부모님이 걱정하신다는 점을 이유로 들어 찬성한다고 했어요.　정답 ④

3 ◎ 정답 풀이 '나'는 엄마, 아빠, 채원이와 공원으로 산책을 갔는데 채원이가 계속 울어 집으로 돌아왔어요. 채원이 때문에 화가 나 자는 채원이의 팔을 꼬집었는데, 잠에서 깬 채원이가 '나'를 보고 방긋 웃으며 다가와 미안해서 우유를 주었어요.

정답 1-3-2-4

4 ◎ 정답 풀이 '방긋'은 '입을 약간 벌리며 소리 없이 가볍게 웃는 모양'을 나타내는 말이에요.　정답 방긋

5 ◎ 정답 풀이 채원이가 계속 울어서 '나'는 아빠랑 공차기도 못하고 공원 연못에 있는 물고기 구경도 못하고 집으로 돌아왔다고 했어요.　정답 ①, ②

6 ◎ 정답 풀이 이 글은 재미와 웃음을 위한 놀이 도구로 말을 사용한 끝말잇기의 두 가지 방식에 대해 설명하고 있어요.　정답 끝말잇기

7 ◎ 정답 풀이 2문단에서 '앞에서 한 말의 마지막 낱말을 뒤에 이어받는 끝말잇기 방식이 있어요. 이는 '말꼬리따기'라고도 해요.'라고 했어요.　정답 말꼬리

8 ◎ 정답 풀이 3문단에서 여러 사람이 끝말잇기를 할 때에는 차례를 정하고, 한 사람이 한 낱말을 말하면 다음 사람이 그 낱말의 끝 글자를 이어받아 새로운 단어를 말한다고 했어요. 따라서 차례를 정한 후 첫 번째 사람이 '학교'라고 하면 다음 사람은 그 끝 글자를 이어 '교문', 다시 그 끝 글자를 이어 '문제'라고 해야 해요.　정답 1-3-4-2

9 ◎ 정답 풀이 (1) 2문단 마지막 문장의 내용으로 보아 끝말잇기는 혼자서도 할 수 있음을 알 수 있어요.
(2) 3문단 내용을 보면 여러 사람이 차례를 정해 함께 할 수 있음을 알 수 있어요.
(3) 1문단에서 끝말잇기는 놀이를 하면서 재미있게 언어를 배울 수 있도록 만든 것이라고 했어요.

정답 (1) ×, (2) ○, (3) ○

어휘력 체크체크　**1.** 연락　　**2.** 방식　　**3.** 놀이

13 일차

본문 ○ 68쪽

1 **생활 습관** 2 (1)-㉠, (2)-㉢, (3)-㉡ 3 **전기문**
4 ④ 5 **학자** 6 **초등** 7 **25**
8 ②

1 **정답 풀이** 글의 처음 부분에서 친구들에게 건강을 지키기 위한 생활 습관을 실천하자고 건의한다고 했어요. **정답 생활 습관**

2 **정답 풀이** (1) 첫째로, 건조한 겨울에는 몸 속 수분이 부족하면 기침을 할 수 있으니 물을 적당히 마시도록 해야 한다고 했어요. (2) 둘째로, 외출 후 바로 손을 씻으면 감기와 같은 질병을 예방하는 데 도움이 된다고 했어요. (3) 셋째로, 춥다고 집 안에만 있지 말고 적당한 운동을 하면 건강을 지킬 수 있는 힘을 준다고 했어요. **정답 (1)-㉠, (2)-㉢, (3)-㉡**

3 **정답 풀이** 이 글은 정약용의 생애와 업적, 성품 등의 사실을 바탕으로 기록한 전기문이에요. **정답 전기문**

알아두면 도움이 돼요!

"전기문의 구성 요소"

• 인물: 인물의 출생, 성장, 죽음 등 일생과 인물의 성품, 사상 등이 드러나야 함.
• 사건: 인물의 활동과 업적, 그리고 그것들을 보여 주는 일화가 나타나야 함.
• 배경: 인물이 살았던 때의 사회적, 역사적, 공간적 한 경과 인물의 개인적인 환경이 나타나야 함.
• 비평: 전기문에는 인물에 대한 글쓴이의 생각이나 느낌, 평가 등도 기록되어 있어야 함.

4 **정답 풀이** 2문단에서 정약용은 여러 책을 살펴보며 명주실로 그물을 엮으면 그물이 더 튼튼해진다는 것을 알아냈다고 했어요. **정답 ④**

5 **정답 풀이** 2문단 마지막 부분에서 마을 사람들은 남을 도우려고 애쓰는 진정한 학자라고 정약용을 칭찬했다고 했어요. **정답 학자**

6 **정답 풀이** '1. 캠프 개요'를 통해 국악 체험 캠프에 참가하기를 희망하는 초등학교 1~6학년 학생들이 이 글의 대상임을 확인할 수 있어요. **정답 초등**

7 **정답 풀이** '2. 캠프 일정'을 통해 국악 이론과 국악 진로 탐색 등을 체험할 수 있는 날은 25일임을 알 수 있어요. **정답 25**

8 **정답 풀이** '2. 캠프 일정'을 볼 때 판소리를 배우고 직접 공연을 하는 체험은 없어요. **정답 ②**

 어휘력 체크체크 1. **수분** 2. **섭취** 3. **배정**

14 일차

1 야구	2 (1) ○, (2) ○, (3) ×	3 ①
4 표지판	5 (1)－ⓛ, (2)－㉠	6 피자
7 ③	8 3-1-2-4	

1 ◉정답 풀이 첫 문장에서 '나'는 아빠와 야구 경기를 보러 갔다고 했어요. 정답 야구

2 ◉정답 풀이 (1) 마지막 부분에서 각 팀이 9명으로 이뤄진다는 것을 알게 되었다고 했어요. (2) 마지막 부분에서 두 팀이 9회 동안 공격과 수비를 번갈아 한다는 것을 알게 되었다고 했어요. (3) 야구공, 배트, 글러브가 꼭 있어야 한다는 내용은 글에서 찾아볼 수 없어요. 정답 (1) ○, (2) ○, (3) ×

3 ◉정답 풀이 '나와 아빠가 좋아하는 팀은 이날 7대 3으로 경기를 이겼다.'라고 했어요. 정답 ①

4 ◉정답 풀이 이 글은 표지판의 의미와 박물관에서 볼 수 있는 표지판의 뜻을 설명하고 있어요. 정답 표지판

알아두면 도움이 돼요!

"설명문"

설명문은 지식이나 정보를 사실대로 전달하는 데에 목적이 있어요. 사실대로 내용을 전달해야 하므로 글쓴이의 주장이나 생각이 아닌 오직 사실에만 바탕을 두어야 해요. 또 읽는 사람에게 정보가 잘 전달되어야 하므로 이해하기 쉬운 낱말과 문장으로 풀어서 써야 해요. 그리고 설명하는 글의 글감은 매우 다양해요. 우리 가족, 우리 학교, 내 짝꿍, 또는 운동의 종류, 곤충의 특징 등 다양한 내용들이 모두 설명하는 글의 글감이 될 수 있어요.

5 ◉정답 풀이 (1) 민수는 화장실이 가고 싶었어요. 글에서 ⓛ은 화장실을 뜻한다고 했어요. (2) 슬기는 작품 사진을 찍으면 안 된다고 말하려 했어요. 글에서 ㉠은 여기에서는 사진을 찍으면 안 된다는 의미라고 했어요. 정답 (1)－ⓛ, (2)－㉠

6 ◉정답 풀이 1문단에서 소스가 발라진 둥근 밀가루 반죽에 채소나 고기, 치즈를 얹은 피자에 대해 소개하겠다고 했어요. 정답 피자

7 ◉정답 풀이 3문단에서 우리나라 음식 중 피자와 비슷한 음식으로 파전이나 감자전이 있다고 했어요. 정답 ③

8 ◉정답 풀이 2문단에서 이탈리아에서는 납작한 형태의 빵이 인기가 많았다고 했어요. 그러다가 한 요리사가 피자를 만들어 황제 부부에게 대접했다고 했어요. 그 후 이탈리아 사람들이 미국으로 이민을 가면서 피자는 미국을 거쳐 전 세계로 퍼지게 되었다고 했어요. 정답 3-1-2-4

 어휘력 체크체크   1. ①   2. ①   3. ②

본문 **○** 76쪽

1 (1) 민수, (2) 현주	**2** ①	**3** 양치질
4 3	**5** (1) ×, (2) ○, (3) ○	
6 (1)-ⓛ, (2)-⑦	**7** 부릅뜨고	**8** 엽전

1 ◎정답 풀이 민수는 우리 반 전체가 참여하는 데에 찬성한다고 했고, 진희도 찬성한다고 했어요. 그러나 우영이는 우리 반 모두가 함께 참여하는 데에 반대한다고 했고, 현주도 희망하는 친구만 장기 자랑에 참여했으면 좋겠다고 했어요.

정답 (1) **민수**, (2) **현주**

2 ◎정답 풀이 민수는 운동회가 협동심을 기르는 것이 목적이니까, 장기 자랑도 협동심을 기르기 위해 모두가 참여해야 한다고 했어요. 정답 ①

3 ◎정답 풀이 이 글은 양치질을 제대로 하기 위한 방법으로 3-3-3 법칙을 설명하고 있어요.

정답 **양치질**

4 ◎정답 풀이 1문단에서 3-3-3 법칙은 하루 3번, 식사를 한 후 3분 안에, 3분 동안 양치질을 하는 것이라고 설명하고 있어요. 정답 **3**

5 ◎정답 풀이 (1) 2문단에서 양치질은 칫솔 머리 부분을 비스듬하게 기울여서 이가 난 방향대로 부드럽게 닦는 것이 좋다고 했어요. (2) 2문단에서 순서를 정해서 치아의 바깥 면, 안쪽 면, 씹는 면을 모두 닦으라고 했어요. (3) 2문단에서 간식을 먹을 때마다 양치질을 할 수 없다면 간식을 먹는 횟수를 줄이라고 했어요. 정답 (1) ×, (2) ○, (3) ○

6 ◎정답 풀이 구두쇠 영감은 국밥 냄새를 맡은 최 서방에게 국밥 냄새를 맡은 값을 치르라고 했어요. 그러자 최 서방은 엽전 소리를 들려 주었어요. 최 서방은 엽전 소리를 듣고도 국밥 냄새 맡은 값을 내라는 구두쇠 영감에게 '엽전 소리는 공짜인 줄 아시오?'라고 말했어요. 정답 (1)-ⓛ, (2)-⑦

7 ◎정답 풀이 '무섭고 사납게 눈을 크게 뜨다.'라는 뜻을 가진 낱말은 '부릅뜨다'예요. 정답 **부릅뜨고**

8 ◎정답 풀이 글의 마지막 부분에서 최 서방은 엽전 소리를 그리 오래 들었으니 냄새 맡은 값을 치르고도 남았다고 말했어요. 정답 **엽전**

어휘력 체크 체크   **1.** 협동심   **2.** 장기 자랑   **3.** 횟수

십자말 풀이

[가로 열쇠]   **1.** 영양소   **2.** 충치   **3.** 출발
[세로 열쇠]   **1.** 양분   **2.** 양치질   **3.** 발명품
　　　　　　 4. 채소

1 캠핑	2 ④	3 겨울잠	4 (1)-ⓛ, (2)-㉠
5 바깥	6 보름달	7 (1) 동쪽, (2) 서쪽	8 ④

1 ◎ **정답 풀이** 이 편지는 민수가 영민이에게 캠핑을 함께 가자고 하는 내용이에요. **정답** **캠핑**

2 ◎ **정답 풀이** 민수는 영민이에게 캠핑장에 가면 미니 축구장에서 축구도 할 수 있다고 했어요. **정답** ④

3 ◎ **정답 풀이** 이 글은 겨울잠을 자는 동물들에 대해 설명하고 있어요. **정답** **겨울잠**

4 ◎ **정답 풀이** (1) 2문단에서 곰은 겨울잠을 잘 때 깊게 잠을 자지는 않고 중간중간 일어나서 똥, 오줌을 누거나 먹이를 먹기도 한다고 했어요. (2) 2문단에서 개구리는 땅속에 들어가 겨울잠을 자는데, 봄이 될 때까지 깨지 않고 죽은 듯이 잠만 잔다고 했어요. **정답** (1)-ⓛ, (2)-㉠

5 ◎ **정답 풀이** 1문단에서 '동물들이 겨울잠을 자는 땅속이나 나무 밑은 바깥보다 따뜻하기 때문에 추운 겨울을 얼어 죽지 않고 보낼 수 있습니다.'라고 했어요. **정답** **바깥**

6 ◎ **정답 풀이** '관찰 주제'에서 보름달의 위치 변화라고 했고, '관찰 대상'에서도 보름달이라고 했으므로 보름달의 위치 변화를 관찰하고 쓴 관찰 보고서라는 것을 알 수 있어요. **정답** **보름달**

7 ◎ **정답 풀이** '관찰 내용'에서 보름달이 오후 6시쯤에는 동쪽 하늘에서 보였는데, 서서히 남쪽 하늘을 지나 새벽 4시쯤에는 서쪽 하늘에 있었다고 했어요. **정답** (1) **동쪽**, (2) **서쪽**

8 ◎ **정답 풀이** '관찰 주제'에서 '보름달의 위치 변화'라고 했어요. 따라서 달의 모양 변화가 아니라 위치 변화에 대해 관찰한 보고서예요. **정답** ④

🎓 **어휘력 체크체크**   1. **캠핑**   2. **위치**   3. **먹이**

1 (1)-㉠, (2)-ⓛ	2 지역	3 ③	4 당번
5 정민	6 ①	7 (1) 어슬렁어슬렁, (2) 폴짝폴짝	
8 ④			

1 ◎ **정답 풀이** (1) 1문단에서 '우리 조상들은 눈 내리는 겨울에도 항상 잎이 푸른 소나무가 꿋꿋한 의지를 나타낸다고 여겼습니다.'라고 했어요. (2) 1문단에서 '소나무는 오래 사는 나무여서 장수하는 삶을 나타낸다고도 했습니다.'라고 했어요. **정답** (1)-㉠, (2)-ⓛ

2 ◎ **정답 풀이** '소나무에 대한 이런 남다른 애정은 지역 이름에서도 찾아볼 수 있습니다.'라고 했어요. **정답** **지역**

3 ◎ **정답 풀이** 이 글에서 소나무가 다른 나라에서 가져온 특별한 나무라는 내용은 찾아볼 수 없어요. **정답** ③

4 ◎ **정답 풀이** 텃밭을 관리할 관리자는 여름 방학 동안 우리 반 텃밭을 관리할 당번 친구들이라는 것을 알 수 있어요. **정답** **당번**

5 ◎ **정답 풀이** '해야 할 일'에서 토마토, 가지, 고추의 상태를 〈텃밭 관리 일지〉에 기록하고, 텃밭에 물을 충분히 준다고 했어요. **정답** **정민**

6 ◎ **정답 풀이** '준비물'을 보면 〈텃밭 관리 일지〉, 연필, 모종삽을 준비해야 한다는 것을 알 수 있어요. **정답** ①

7 ◎ **정답 풀이** (1) '몸을 이리저리 흔들며 계속 천천히 걸어 다니는 모양을 흉내 낸 말'은 '어슬렁어슬렁'이에요. (2) '가볍고 힘있게 자꾸 뛰어오르는 모양을 나타내는 말'은 '폴짝폴짝'이에요. **정답** (1) **어슬렁어슬렁**, (2) **폴짝폴짝**

8 ◎ **정답 풀이** 마지막 연에서 모두 다시 와서 솜사탕을 먹는다고 생각하는 것을 알 수 있어요. **정답** ④

🎓 **어휘력 체크체크**   1. ①   2. ①

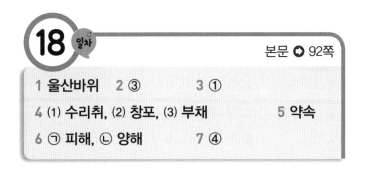

1 울산바위   2 ③   3 ①
4 (1) 수리취, (2) 창포, (3) 부채   5 약속
6 ㉠ 피해, ㉡ 양해   7 ④

1 **◎정답 풀이** 1문단에서 울산바위에 전해 내려오는
전설을 소개한다고 했어요.   **정답** 울산바위

"전설"

전설은 바위나 연못, 오래된 나무 등 구체적인 장소
나 사물에 얽혀 전해 내려오는 이야기예요. 그래서 사람
들은 전설을 사실로 믿기도 한답니다.

2 **◎정답 풀이** 2문단에서 울산바위는 하루 만에 금강
산에 도착할 수 없어 설악산에서 하룻밤을 쉬었는
데, 다음날 아침 산신령의 신하에게서 금강산 1만 2
천 봉우리를 모두 채웠다는 소식을 들었다고 했어
요.   **정답** ③

3 **◎정답 풀이** 1문단에서 단오는 수릿날이라고도 부른
다고 했어요.   **정답** ①

4 **◎정답 풀이** (1) 1문단에서 수리취라는 나물과 쌀가
루를 섞어 반죽하여 수레바퀴 모양의 '수리취떡'을
만들어 먹었다고 했어요. (2) 2문단에서 '창포' 삶은
물로 머리를 감으면 머리카락이 잘 안 빠진다고 했
어요. (3) 1문단에서 단오에는 부채를 선물하기도
하는데, 단오가 지나면 곧 여름 더위가 시작되기 때
문에 미리 부채를 선물하는 거라고 했어요.
      정답 (1) **수리취**, (2) **창포**, (3) **부채**

5 **◎정답 풀이** 1문단에서 약속은 아무리 사소한 것이
어도 반드시 지켜야 한다고 주장하고 있어요.
      정답 약속

6 **◎정답 풀이** ㉠ 2문단에서 약속을 지키지 않으면 나
로 인해 그 친구는 해야 할 일을 하지 못하게 된다
고 했어요. 즉 친구는 손해를 입게 되는 거예요. '생
명이나 신체, 재산 따위에 손해를 입음.'을 의미하
는 낱말은 '피해'예요. ㉡ 약속을 지키지 못하게 되
면 상대방에게 너그러이 헤아려 줄 것을 부탁해야
해요. '남의 사정을 잘 헤아려 너그러이 받아들임.'
을 의미하는 단어는 '양해'예요.

      정답 ㉠ **피해**, ㉡ **양해**

7 **◎정답 풀이** 3문단에서 갑자기 아프거나 하는 상황
이 생겨 약속을 지킬 수 없다면, 상대방에게 그 사
실을 알리고 양해를 구해야 한다고 했어요.

      정답 ④

 **1. 전설   2. 사소하다   3. 반납**

1 보안관   **2** ④

3 ③   **4** 기증   **5** 생글생글

6 (1) 안녕하세요?, (2) 잘 먹겠습니다!   **7** 인사

1 ◎ 정답 풀이 이 글은 동물 보호 보안관의 역할과 하는 일에 대해 설명하고 있어요.   정답 **보안관**

2 ◎ 정답 풀이 동물 보호 보안관이 동물을 키우고자 하는 가족에게 동물을 데려다 준다는 내용은 찾아볼 수 없어요.   정답 ④

3 ◎ 정답 풀이 '기증하신 물건은 어려운 이웃에게 나눠 줄 예정입니다.'라고 했어요.   정답 ③

4 ◎ 정답 풀이 '돈이나 물품 따위를 남을 위해 그냥 줌.'이라는 뜻의 낱말은 '기증'이에요.   정답 **기증**

5 ◎ 정답 풀이 '눈과 입을 살며시 움직이며 소리 없이 정답게 자꾸 웃는 모양'이라는 뜻의 낱말은 '생글생글'이에요.   정답 **생글생글**

6 ◎ 정답 풀이 길에서 어른을 만나면 두 손을 모으고 "안녕하세요?" 하고 예쁘게 인사하라고 했어요. 엄마가 맛있는 간식을 주면 냠냠 먹기 전에 "잘 먹겠습니다!" 하고 예쁘게 인사하라고 했어요.   정답 (1) **안녕하세요?**, (2) **잘 먹겠습니다!**

7 ◎ 정답 풀이 마지막 부분에서 예쁘게 인사했더니 기분이 참 좋다고 했어요.   정답 **인사**

어휘력 체크체크   1. **역할**   2. **이웃**

---

1 제주도   **2** ①

3 (1) 설렜다, (2) 무서웠다, (3) 부러웠다

4 ③   **5** ③   **6** (1) 학생, (2) 운동회

1 ◎ 정답 풀이 첫 문장에서 '우리 가족은 제주도로 여행을 다녀왔다.'라고 했어요.   정답 **제주도**

2 ◎ 정답 풀이 1문단에서 해안도로를 달리며 본 바다의 파란색이 너무 예뻤다고 했어요.   정답 ①

3 ◎ 정답 풀이 (1) 1문단에서 '회전목마를 탈 생각에 마음이 두근두근 설렜다.'라고 했어요. (2) 2문단에서 '처음에는 말이 오르락내리락 움직이는 게 무서웠지만, 시간이 지나자 무척 재미있었다.'고 했어요. (3) 3문단에서 '솜사탕을 먹는 친구들이 부러웠다.'라고 했어요.

정답 (1) **설렜다**, (2) **무서웠다**, (3) **부러웠다**

4 ◎ 정답 풀이 1문단에서 엄마가 김밥과 샌드위치를 도시락으로 준비했다고 했어요.   정답 ③

5 ◎ 정답 풀이 이 글에서 학생이 다쳐 치료를 받았다는 내용은 없어요.   정답 ③

6 ◎ 정답 풀이 1문단에서 20○○년 ○월 ○일 금요일에 가을 운동회가 열렸는데, 이 운동회는 학생과 학부모들이 함께 마련한 것이라고 했어요.

정답 (1) **학생**, (2) **운동회**

어휘력 체크체크   1. ①   2. ①

어휘력 쑥쑥 테스트   01. **모닥불**   02. **물품**   03. **공경**

04. **마련**   05. **구조**   06. ○

07. ×

1 낚싯줄, 페비닐, 사탕 봉지		2 ①	3 일기
4 (1) 엄마, (2) 뒷산	5 ④	6 예절	7 ③

1 （◎ 정답 풀이） 1문단에서 바다거북의 뱃속에서 낚싯줄, 페비닐, 사탕 봉지가 나왔다고 했어요.

정답 **낚싯줄, 페비닐, 사탕 봉지**

2 （◎ 정답 풀이） 3문단에서 한없이 베풀기만 할 것 같던 바다가 지금 심각하게 병들고 있다고 했어요.

정답 ①

3 （◎ 정답 풀이） 날짜와 날씨를 쓰고 뒷산에 오른 경험을 쓴 것으로 보았을 때 일기라고 할 수 있어요.

정답 **일기**

4 （◎ 정답 풀이） 첫째 문장에서 엄마, 아빠와 뒷산에 올라갔다고 했어요. 정답 (1) **엄마**, (2) **뒷산**

5 （◎ 정답 풀이） '엄마가 말씀하셨던 가을의 향기가 이런 것이구나 하는 생각이 들었다.'고 했어요. 정답 ④

6 （◎ 정답 풀이） 1문단에서 글쓴이는 도서관에서 기본적인 예절을 지키지 않는 사람들이 많다고 했어요.

정답 **예절**

7 （◎ 정답 풀이） 2문단에서 과자를 씹는 소리는 시끄러울 수 있고, 그 냄새는 옆 사람에게 불쾌감을 줄 수 있다고 했어요. 책을 읽으며 먹은 과자의 빈 봉지는 쓰레기통에 버리라는 내용은 이 글에서 찾아볼 수 없어요. 정답 ③

어휘력 체크체크   1. 착각   2. 사계절   3. 정상

1 팥죽	2 ③	3 (2)	4 (1), (2)
5 ④	6 장영실	7 (1)—ⓒ, (2)—⊙	8 ④

1 （◎ 정답 풀이） 동지에 팥죽을 왜 먹는지 묻는 정수에게 할머니가 그 이유를 알려 주고 있어요.

정답 **팥죽**

2 （◎ 정답 풀이） 할머니가 우리 조상들은 이사를 하면 팥죽을 쑤어 집 안팎에 뿌리고 이웃과 나누어 먹기도 한다고 했어요. 정답 ③

3 （◎ 정답 풀이） 할머니가 '팥죽에는 몸에 좋은 영양소가 많이 들어 있어 몸도 튼튼해지지.'라고 했어요.

정답 (2)

4 （◎ 정답 풀이） 1문단에서 '자신이 가지고 있는 돈과 용돈의 액수가 얼마인지, 또 얼마 만에 한 번씩 용돈을 받는지도 생각해서 저축이 가능한 금액을 정하는 것이 좋습니다.'라고 했어요. 정답 (1), (2)

5 （◎ 정답 풀이） 2문단에서 자기 이름으로 된 도장이 없을 때에는 부모님 도장을 가져가도 된다고 했어요.

정답 ④

6 （◎ 정답 풀이） 장영실이 벼슬을 받게 된 이야기와 장영실의 발명품 등에 대해 쓴 전기문이에요.

정답 **장영실**

7 （◎ 정답 풀이） 2문단에서 장영실이 밤하늘의 별을 관찰했고 몇 번의 실패 끝에 별을 관찰하는 도구인 '간의'를 만들었다고 했어요. 또한 많은 연구 끝에 빗물의 양을 잴 수 있는 '측우기'를 발명했다고 했어요. 정답 (1)—ⓒ, (2)—⊙

8 （◎ 정답 풀이） 2문단에서 장영실은 세종의 뜻에 감사해 하며 과학 연구와 발명에 힘을 쏟았다고 했어요.

정답 ④

 어휘력 체크체크   1. 이사   2. 저축   3. 재능

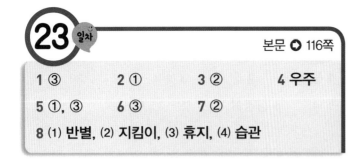

23 일차

본문 ○ 116쪽

1 ③	2 ①	3 ②	4 우주
5 ①, ③	6 ③	7 ②	
8 (1) 반별, (2) 지킴이, (3) 휴지, (4) 습관			

1 ◎ 정답 풀이) 2문단에서 '나'는 이모네 가는 길에 있는 산, 꽃, 새들과 인사를 나누고 싶다고 했어요. ③에서 '나'는 기차 좌석에 앉아 창문을 보며 바깥 풍경을 향해 손을 흔들고 있는데, 이것은 산, 꽃, 새들에게 인사를 나누는 거라고 볼 수 있어요.

정답 ③

2 ◎ 정답 풀이) 처음에는 기차가 천천히 달리다가 나중에 빠르게 달리자 길가에 서 있는 나무와 산도 빠르게 달리는 것처럼 보였다고 했어요. 따라서 ㉠에 들어갈 접속어는 '그러자'예요. '그러자'는 어떤 동작이 막 끝남과 동시에 다른 동작이나 사실이 잇따라 일어나는 것을 의미해요.

정답 ①

3 ◎ 정답 풀이) '나'는 기차가 빠르게 달려가니까 길가에 있는 나무와 산이 나와 같이 빠르게 달리는 것처럼 보였다고 했어요.

정답 ②

4 ◎ 정답 풀이) 1문단에서 우주 쓰레기가 무엇인지 설명하고 있어요. 그리고 2, 3문단에서는 우주 쓰레기로 인해 우주 공간과 일상생활에 어떠한 문제가 생길 수 있는지 설명하고 있어요.

정답 우주

5 ◎ 정답 풀이) 1문단에서 '우주 쓰레기에는 수명이 다한 인공위성이나 로켓의 빈 연료 탱크, 우주 비행사들이 떨어뜨린 생활 쓰레기 등이 있습니다.'라고 했어요.

정답 ①, ③

6 ◎ 정답 풀이) 3문단에서 우주 쓰레기는 통신 위성에 영향을 주어 전자 기기를 사용하는 데 장애를 일으킨다고 했어요.

정답 ③

7 ◎ 정답 풀이) 회장은 새치기 문제와 식탁 정리 문제

를 어떻게 해결해야 할지 토의해 보겠다고 했어요.

정답 ②

8 ◎ 정답 풀이) 새치기를 하는 문제에 대해 영지는 반별로 줄을 서는 것을 제안했고, 민수는 새치기가 나쁜 행동이라는 것을 알리기 위해 지킴이 활동을 하자고 했어요. 식탁 정리 문제에 대해 정연이는 식탁 위에 휴지를 마련해 두자고 했고, 영지는 자기 스스로 치우는 습관을 키우자고 했어요.

정답 (1) 반별, (2) 지킴이, (3) 휴지, (4) 습관

 어휘력 체크체크 1. ①   2. ②   3. ②

24 일차

1 설명	2 ④	3 (1)-ⓒ, (2)-㉠
4 색점토	5 매끄러운	6 도구칼	7 ①, ③
8 ④	9 ④

1 ◎정답 풀이 1문단에서 수수께끼의 의미를, 2문단에서 수수께끼의 특징을 설명하고 있어요. 정답 **설명**

2 ◎정답 풀이 2문단 마지막 부분에서 논리적으로 말이 되는 것은 수수께끼가 될 수 없거나, 되더라도 훌륭한 수수께끼는 못 된다고 했어요. 정답 ④

3 ◎정답 풀이 (1) 눈이 녹으면 '눈물'이 되지요. (2) 말은 말인데 타지 못하는 말은 '거짓말'이에요.
정답 (1)-ⓒ, (2)-㉠

4 ◎정답 풀이 이 글은 색점토의 특징과 사용 방법을 안내한 설명서예요. 정답 **색점토**

5 ◎정답 풀이 '겉면이 거칠지 않고 미끄러질 정도로 보드러운'이라는 뜻을 가진 낱말은 '매끄러운'이에요. 정답 **매끄러운**

6 ◎정답 풀이 [색점토 사용 방법]에서 도구칼을 사용해서 무늬를 섬세하게 표현할 수 있다고 했어요.
정답 **도구칼**

7 ◎정답 풀이 마음씨 착한 임금님과 궁궐의 신기한 맷돌을 훔치려 하는 도둑이 나와요. 정답 ①, ③

8 ◎정답 풀이 '고약한'은 마음씨나 말과 행동이 사나운 것을 말해요. 따라서 좋지 않은 의미를 지닌다고 할 수 있어요. '착하다'는 좋은 의미를 나타내요.
정답 ④

9 ◎정답 풀이 신기한 맷돌은 임금님이 마음씨가 착해서 하늘이 임금님께 상을 주신 거라고 마을 사람들은 이야기했어요. 정답 ④

 어휘력 체크체크 1. **사물** 2. **특징** 3. **칭찬**

---

25 일차

1 (1)-ⓒ, (2)-㉠	2 4-2-3-1
3 경찰	4 교통	5 ②
6 보고서	7 ①	8 비닐

1 ◎정답 풀이 (1) 1문단에서 고무는 미끄러지지 않게 하기 때문에 밑바닥이 고무로 된 신발을 신으면 쉽게 넘어지지 않는다고 했어요. (2) 1문단에서 고무는 부딪히는 힘을 약하게 만들기 때문에 고무바퀴가 있는 탈것은 울퉁불퉁한 길을 달려도 많이 흔들리지 않는다고 했어요 정답 (1)-ⓒ, (2)-㉠

2 ◎정답 풀이 2문단에서 파라고무나무 껍질에서 흘러내리는 고무즙을 통에 모은 후, 초산을 넣어 잘 섞은 다음 커다란 그릇에 넣고 굳힌다고 했어요. 이후 고무즙이 굳으면 그 덩어리를 납작하게 누르는 기계에 넣고 얇게 편다고 했어요. 얇게 편 고무를 햇볕과 바람에 잘 말리면 생고무가 된다고 했어요.
정답 4-2-3-1

3 ◎정답 풀이 이 글은 '경찰 아저씨께'로 시작하고 있어요. 정답 **경찰**

4 ◎정답 풀이 '저는 매일 경찰 아저씨께서 교통 지도를 하시는 횡단보도를 건너 등교해요.'라고 했어요.
정답 **교통**

5 ◎정답 풀이 '처음 입학했을 때에는 횡단보도를 혼자 건너는 것이 제일 힘들었어요.'라고 했어요.
정답 ②

6 ◎정답 풀이 이 글은 콩이 콩나물로 자라나는 과정을 기록한 탐구 보고서예요. 정답 **보고서**

7 ◎정답 풀이 이 글에서 탐구를 도와준 사람은 찾아볼 수 없어요. 정답 ①

8 ◎정답 풀이 '새로 알게 되었거나 느낀 점'에서 콩나

물을 키울 때에는 어두운 색깔의 뚜껑이나 검은 비닐, 젖은 행주를 씌워야 한다고 했어요. 그렇지 않으면 머리 부분이 초록색이 되면서 맛이 질겨진다고 했어요. 　정답 비닐

 1. 싹　　2. 입학　　3. 행주

십자말 풀이

[가로 열쇠]　1. 위험하다　2. 새치기　3. 등교
　　　　　　　4. 통화
[세로 열쇠]　1. 주위　　2. 향기　　3. 교통

MEMO

MEMO